사소한 일상 수집가

반드시 연연해야 할 삶의 파편들에 대한 기록

사소한 일상 수집가

반드시 연연해야 할 삶의 파편들에 대한 기록

김지수

기차 여행의 묘미는 과정에 있다

드라마 〈카지노〉를 감명 깊게 봤다. 극 중 주인공인 차무식(최민식)은 필리핀 카지노의 제왕으로 영향력을 떨치며 오로지 돈과 권력만을 좇아 살아가는 인물이다. 그러나 영민했던 머리와 맺고 끊음이 확실했던 인간관계가 무색하게 결국 허망하고 비극적인 최후를 맞이한다. 그 와중 아내와 오랜 친구들을 만나 감회에 젖어 삶에 대한 아쉬움을 나누는 장면이 뇌리에 깊이 남았다. 오직 본인이 설정한 인생의 목표를 이루기 위해서 매진하다, 가족과의 사랑이나 우정, 작은 행복의 파편들을 놓치고 홀연히 외로운 죽음을 맞이한 그가 안타까워 한동안 씁쓸한 감정을 곱씹었다. 또 그의 모습에서 지난 과거의 나를 발견했다.

나도 눈에 보이지 않는 대의를 좇는답시고 삶의 저변을 이루고 있
는 일상을 무시했던 적이 있다. 그 때문에 일부의 기억을 제외하고는
지나온 시간들이 가물가물했다. 30여 년의 세월을 살아오며 이룬 것
은 애매한 직급과 연봉이 다였는데, 고작 그런 것들을 얻겠다고 일상
의 귀함을 잊고 살았던 것이 후회스러웠다. 그러던 어느 날 한 작가
의 글쓰기 수업을 계기로 일상 속 떠오른 생각을 글로 적는 습관을 갖
게 됐다. 꾹꾹 눌러쓴 단어는 문장이 되고 몇 개의 문장이 모여 문단
을 만들더니, 이내 곧 하나의 가치를 지닌 에피소드가 완성됐다. 실체
화된 이야기들은 내 기억의 서랍에 들어가 때에 따라 사유나 추억, 교
훈으로 속성을 바꿔가며 삶 전반에 충만한 자양분이 됐다. 망각과 자
책의 반복으로 죽어가던 30대 초반까지의 삶은 이러한 일상 수집 활
동 덕분에 생동감을 되찾기 시작했다. 수집가이자 역사가인 발터 벤
야민은 '수집가'에 대해 "특별해 보이지 않았던 것에 의미를 부여하
고 가치를 창조하는 사람들"이라 정의한다. 나는 이 책을 통해 스스
로 '일상 수집가'를 자처하고, 쪼개져 있던 생의 단편들을 한 데 엮어
쓸모 있는 일상으로 재조명하고자 했다.

　　매일 쳇바퀴 같은 나날을 살다 보면 분명 경시하게 되는 것들이 있
다. 이웃과의 정이나 관용, 포옹 같은 것들이다. 이 책은 포옹이라는
행위가 가진 가치와 경제성에 대해 논하고, 일식집 주인장으로부터
배운 직업관에 대해 소개하는 등 쉽게 잊을 수 있는 혹은 생각지 못했
던 일상의 토막들을 낱낱이 보여준다.

기차 여행의 목적은 도착지에 도달하는 것이 아니다. 지나가는 주변 풍경을 보며 사색에 잠기거나 친구들과 모여 사사롭게 수다를 떠는 순간, 간식들을 잔뜩 늘어놓고 마음대로 집어먹는 것 자체에 행복과 의미가 녹아있다. 오직 목적지에 도착해야만 여행이 시작되는 것이 아닌 것처럼, 삶 또한 큰 목표를 지향하는 것만이 전부는 아니다. 목적지에 다다른 다음에도 우리는 또 다른 여행을 준비해야 한다. 삶자체가 목적이고 동시에 과정이기에 우리는 반드시 삶을 아우르는 작은 조각들에 집중해야 한다. 사소한 일상에 연연하는 것만이 맥없이 흘러가는 인생을 풍요롭게 살 수 있는 비결이다. 싱거운 재료들이 한데 모여 깊은 맛의 요리를 만들어내는 것처럼, 작은 이야기와 깨우침이 한데 모여 인생의 참맛을 완성할 것이다. 사소한 파편들을 결코 사소하지 않게 만드는 것은 이제 당신과 나의 몫이다. 나의 수집기가 부디 당신에게도 특별한 가치로 다가가기를 바란다. 이 책을 읽는 당신이 잠시나마 인생살이에 연연하는 태도를 갖게 된다면 더 바랄 게 없겠다.

삶을 지탱하는 사소함에 대해 알려준 엄마와 아빠에게 감사를 전하며 이만 글을 마친다.

2024년 2월의 첫날

김지수

차 례

1장

어쩌다 포착한 장면들

간혹 우연한 기회로 재미있는 장면들을 포착하는 경우가 있다. 관찰에서 시작된 새로운 발견은 다채로운 생각거리를 낳는다.

포옹이 빛을 발하는 계절

어느 겨울의 퇴근길, 어여쁜 얼굴의 여자분과 눈이 마주쳤다. 눈송이 여러 개를 뭉쳐놓은 것처럼 말간 피부가 돋보여 자꾸만 시선이 갔다. 유난히 찬 바람이 많이 부는 날이었는데, 패딩도 아닌 코트를 여민 모양새가 신경이 쓰였다. 바쁘게 걸음을 옮기는 모습에 역시 꽤 추운가보다 라는 걱정이 들기도 했다. 지하철역 부근으로 향하는 길은 먹자골목을 뚫고 지나가야 하는지라, 많은 인파들이 그녀를 방해하고 있었다. 그럼에도 잰걸음은 멈추지 않았다. 마침 목적지가 같아 보여 그녀의 뒤를 천천히 따라갔다. 지하철역 근처에 이르렀을 즈음 시야에서 그녀가 사라졌다. 빠르게 주변을 살핀 결과 그녀의 그림자는 누군가의 그림자와 포개어져 있었다. 그는 분명 그녀의 남자 친구였을 것이다. 온 힘으로 끌어안은 손과 동그랗게 휘어진 눈이 반가움과 애정을 반증했다. 만남부터 과정까지 서사를 들여다본 적은 없지만 서로를 충만하게 사랑하고 있음이 여실히 느껴졌다. 인연이라는 말을 덧붙이기도 무색한 만남이었지만 오래도록 그와 그녀의 행복을 빌어주고 싶었다.

그녀와의 만남으로 마치 잘 만들어진 짧은 단막극 한 편을 본 것처럼 잠시간 마음이 따뜻해졌다. 누군가를 껴안는 모습이, 드라마 속에서뿐만 아니라 현실에서도 더없이 아름다운 그림이란 것을 알게 됐다. 그러고는 우리가 일상에서 얼마나 많은 포옹의 순간을 놓치고 있는지 깨달았다. 포옹은 생각보다 흔히 볼 수 있는 스킨십이 아니다. 꽤 얽혀있는 남녀 관계라거나 당신이 지나치게 어린 아이가 아니라면 당신을 깊이 끌어안아 줄 사람은 많지 않을 것이다. 해서 귀하다. 누군가를 끌어당겨 안고 힘주어 가둔다는 것은 그 사람을 상당히 아끼지 않고는 할 수 없는 일이다. 숟가락을 마주하고 두 손의 깍지를 끼는 일 보다, 한 차원 고귀하고 품이 많이 들어가는 행위이다. 한 번의 포옹에는 더 많은 면적의 접촉과 체온의 나눔, 감정의 교류가 있기 때문이다.

최근 나도 뜻하지 않은 포옹을 경험했다. 기꺼이 나를 안아줄 수 있을 정도의 애정을 드러내 준 것에 감사했고, 예상치 못한 맞닿음에 큰 감동이 따라왔다. 단순히 몸을 덥히는 것 이상으로 감정의 농도가 짙어졌다. 포옹 한 번에 인간의 감정이 이토록 풍요로워질 수 있는 건지 몰랐다. 프리허그가 한때 왜 그렇게 유행했는지 알 수 있는 순간이기도 했다. 대가 없는 많은 종류의 포옹은 메마르고 황폐해진 이들의 마음을 녹이고 얼어버린 현대사회의 온도를 높이는 데 기여했을 것이다.

실제 신체 접촉이 부족해질 경우 우울과 불안, 공감 능력 저하와 면역 기능 저하가 나타난다는 연구 결과가 있다. 살갗의 굶주림이라고 불리는 '스킨 헝거' 현상이다. 반면 매일 포옹을 받은 사람들은 감기에 걸릴 확률이 31% 낮고, 회복 속도도 빠르며 긍정적 감정이 증대된다고 한다. 결국 일종의 접촉 결핍증이 삭막한 사회를 만들었고, 이에 가장 확실한 해결 방안이 곧 대가 없는 포옹은 아니었을까. 국민 육아 멘토로 불리는 오은영 박사 역시 포옹의 중요성을 설파한다. 그의 말을 빌리자면 포옹은 자동차에 기름을 가득 넣어주는 것처럼 감정의 주머니를 꽉 채우는 행위이다. 수많은 상처에 이미 마음이 돌아서 버린 아이일지라도, 꾸준한 포옹을 통해 부모의 사랑과 에너지가 전해진다면 충분히 치유할 수 있다는 것이다.

심지어 한 번의 포옹은 경제적이기까지 하다. 서로 끌어안게 되면 상대방도 자연스럽게 나를 포옹하게 된다. 누군가를 안아주는 행위는 동시에 상대방도 나를 안을 수 있는 기회를 주는 것이다. 포옹을 하겠다는 한 인간의 순수한 결심만으로 두 사람의 체온이 데워지고 그 이상의 감정이 만들어진다. 5천만 명의 대한민국 국민 중 절반만 포옹을 하기로 마음먹더라도 전인구가 서로를 껴안을 수 있는 것이다. 아이도 노인도 여성도 남성도, 매일 한 번 이상의 포옹을 경험할 수 있다면 지금보다는 따스한 세상이 되지 않을까. 단언할 수는 없지만 어쩌면 포옹이 많은 범죄 및 사회 문제를 해결할 수 있는 실마리가 될지도 모른다.

겨울에는 잦은 포옹이 결코 어색하지 않다. 추워서 그럴 수 있다는 확실한 명분이 있는 것이다. 목도리를 둘러주겠다는 이유로 옷을 여며주겠다는 빌미로 상대방을 충분히 안아줄 수 있다. 나도 지난 겨울 더 많은 이들을 껴안아 줄 것을 그랬다. 추위를 녹일 수 있는 동시에 메마른 감정까지 충만해질 수 있다면 행하지 않을 이유가 있을까.

다가오는 겨울엔 낮아진 기온만큼 차가워진 몸뚱이를 핑계로 누군가를 안아주자. 혹은 안겨보자. 추워하는 아이를 끌어안고 사랑을 품어주자. 얼어있는 이의 몸을 당겨 따스하게 덥혀주자. 분노로 얼룩졌던 관계를 회복해 보자. 이때만큼은 그래도 전혀 이상하지 않다. 단언컨대 겨울은, 포옹이 빛을 발하는 계절이다.

제철 음식을 먹는다는 것은

　오랜만에 함박눈이 왔다. 두 배로 길어진 퇴근길에 지쳤던 것도 잠시, 아파트 정문 앞 일렬로 선 눈사람을 보고는 웃음이 새 나왔다. 눈사람을 만들어 본 게 언제인지 기억조차 나지 않는 나 대신 누군가 만들어 놓은 동그란 눈 뭉치들이 제법 귀여웠다. 삼삼오오 모인 동네 아이들이 땀흘려 눈을 굴리는 모습을 상상하며 어린 꼬마들이 아직은 제법 '아이'다운 겨울을 보내고 있구나 내심 안도했다. 각종 게임부터 미디어까지 요즘처럼 눈을 돌릴 것들이 너무나 많은 세상에서 제때를 고스란히 보낸다는 것은 쉽지 않은 일이다. 그 나이 때만 응당 겪을 수 있는 경험을 놓치게 되는 경우가 왕왕 있는 것이다.

　옛날 농경 사회에서는 '철'이라는 단어를 자주 사용했다. 농사는 철, 즉 시절 혹은 시기가 매우 중요했기 때문이다. 농부가 농사일을 계획하다 보면 씨를 뿌릴 철, 김을 맬 철, 곡식을 거둘 철 등 여러 철을 보내게 되는데 그 철이 익숙해지고 몸에 배게 될 때면 진정 훌륭한 농사꾼으로 거듭나게 된다. 옛말로 "철이 들었다."라고 불리는 상태다. 철이 들지 않은 사람은 제때 할 일을 하지 않는다. 자연의 섭리에 순응하거나 사람의 도리를 지키기보다, 이를 역행하고 거역한다. 철, 즉 때가 왔음에도 무엇을 해야 할지 모르는 농부를 두고 철부지라 부른다. 농부가 제철을 모르고 일을 안 하면 얼어 죽거나 굶어 죽는 일이 허다했듯, 당시 철부지의 삶은 죽음 그 자체였고 우리에게 제철을 지키고 사는 것은 생사를 논할 만큼 중요한 일이었다.

철이 중요하다고 강조했던 조상님의 조언은 제철 음식에서도 찾아볼 수 있다. 봄에는 미나리, 여름에는 복숭아와 참나물, 가을이면 대하, 겨울엔 굴과 귤까지. 제때 즐기는 제철 음식의 섭취는 의사나 영양사들도 필수로 권장한다. 맛도 영양분도 저마다의 철마다 가장 풍부한 시기가 정해져 있어 제때 챙겨 먹으면 큰 만족과 효과를 볼 수 있기 때문이다. 여름만 되면 어떻게든 보신할 음식을 찾고 있는 내게도, '제철 음식'을 좇았던 조상들의 DNA가 몸 깊숙이 어딘가에 박혀 있는 듯하다. 적기에 거둔 음식을 먹으며 주변 사람들과 함께 으쌰 으쌰 하고 나면, 그 시기를 잘 보낼 수 있는 기운과 에너지를 얻는 느낌이 든다. 신체 건강은 물론 정신건강까지 보강하는 셈이다.

그런데 요새는 한겨울에도 튼실한 딸기가 나오고 연중 내내 통통한 주꾸미를 먹을 수 있다. 한 계절, 한 시기를 인간이 직접 통제할 수 있게 되어버렸다. 그러다 보니 언젠가부터 철의 변화에 민감하지 않게 된 사람이 많아졌다. 여름 채소를 겨울에 구매할 수도 있고, 겨울에 가장 맛깔난 해산물이 사시사철 맛있는 세상이 됐으니, 굳이 그 시기에 목을 맬 필요가 없어진 것이다. 자연의 순환 질서가 망가진 덕분에 세상은 철없는 혹은 철모르는 사람 천지가 됐다. 현대의 철부지들은 돈으로 시기를 사서 매일 원하는 음식을 즐기고는 하지만, 슬프게도 제철을 맞아 가장 풍부한 맛과 영양을 자랑하는 음식은 맛볼 수 없게 됐다. '시장이 곧 반찬'이듯 반찬이 없어야만 그 맛이 더 귀해지는 법이다. 아무리 보기 드문 산해진미라도 매일 먹다 보면, 그 참맛을 진실로 느낄 수 없다.

어른들 말씀에 '제때' 맞게 살라는 말이 있다. '제철 음식'이 주어진 시기를 지나고 나면 그때의 가치를 잃게 되듯, 스스로에게 주어진 때를 어떻게 누리고 보낼지 고민이 필요하다. 무조건 부모에게 응석을 부릴 수 있는 때, 책상에 앉아 있는 습관을 길러야 하는 때, 떨리지만 사회 초년생으로서 새롭게 발을 디뎌야 하는 때까지 모두 우리가 응당 제때 겪어야 하는 일들이다. 사람마다 속도의 차이가 있을 수는 있지만, 제철을 허송세월로 보내고 나면 지나간 때를 다시 되돌리거나 반복할 수 없다. '때'란 알맞은 시기라는 뜻으로, 무한대로 주어지는 것이 아니다. '제철 음식'을 나 몰라라 하는 사람들이 자칫 '제철'의 소중함 마저 잃어버린다면, 그들의 삶에는 후회와 아쉬움만이 그득할 것이다.

제철 음식을 먹는다는 것은 어쩌면 꼭 필요한 일이다. 그때에만 먹을 수 있는 음식을 챙긴다는 것은, 시기에 맞는 삶을 보내고 있다는 의미이다. 영화 〈리틀 포레스트〉에서 도시의 삶에 쫓겨 도망치듯 귀농한 혜원에게 마을 어른들은 "기다려, 기다릴 줄 알아야 최고로 맛있는 음식을 맛볼 수 있어."라고 강조한다. 이에 혜원은 온몸으로 정직하게 노동하고 자연이 알아서 음식을 내어줄 타이밍을 기다린다.

이 과정에서 그녀는 일한 만큼 얻게 된다는 원초적인 자신감을 경험하고, 다시금 마음의 생기와 충족을 얻는다.

오는 주말 제철 음식 한 끼와 함께, 바쁘다는 핑계로 외면하고 있던 '제때'를 고스란히 누려보는 것은 어떨까. 맛있는 제철 음식 한 접시가 우리의 인생 시계를 바로 맞출 용기를 가져다줄지도 모른다.

이 정도는 괜찮겠지

매일 새벽 5시 30분이면 출근을 위해 집을 나선다. 잠이 덜 깬 몽롱한 출근길에는 대체로 주변을 신경 쓸 겨를 없이 빠르게 걸어가기에 바쁘다.

그러던 어느 날, 길가를 걸어가며 담배를 피우는 한 남자에게 시선을 빼앗겼다. 기호 식품인 담배를 마음대로 밖에서 피우는 게 무슨 잘못일까 싶지만, 흡연 구역이 엄연히 존재하는 한 담배를 피우는 장소에 대한 사회적 약속은 지켜져야 했다. 또 아무도 없는 고요한 새벽 길거리에서 담배를 피우는 게 누군가에게 당장 피해를 주는 일은 아니겠지만 그 행위 자체는 결코 미덕이 아니었다. 눈살이 찌푸려지는 광경에 걸음을 재촉하는데, 흡연 행위를 막 마친 그가 횡단보도의 안전선 앞에 서서 얌전히 신호를 기다리는 것이 아닌가. 행인은 물론 차 한 대 지나가지 않는 새벽녘, 무단횡단을 하더라도 사고가 날 위험이나 불편한 눈길을 보낼 사람은 없었다. 수초의 시간을 기다리며 그는 무슨 생각을 했을까. 흡연 장소로 지정되지 않은 길거리에서 담배를 태우지만, 누구나 한 번쯤 건너고 마는 텅 빈 횡단보도는 차분히 기다리는 남자. 잇단 그의 행동을 관찰하며, 비윤리적인 것 같다가도 규범을 지키는 듯한 모습에서 아이러니를 느꼈다. 어떤 기준으로 길거리 흡연과 보행자 신호 준수를 판단하는지 그 자리에서 질문을 하고 싶은 정도였다.

출근 버스를 기다리는 정류장에서도 비슷한 상황을 마주했다. 정류장에는 강남, 종로, 잠실 등 서울 권역 별로 줄을 서서 버스를 기다릴수 있게끔 각각의 행선지가 표기되어 있다. 줄을 선 모든 이들은 새치기할 생각은커녕 혹시라도 지나갈 보행자를 배려해 눈치 있게 적당한 간격을 두고 서 있었다. 그날은 유독 함께 줄을 서 있는 사람들에게 눈길이 갔는데, 가장 앞쪽에 서 있던 남성이 갑작스레 침을 뱉는것이 아닌가. 줄 서기의 사회적 약속은 응당 지켜내면서, 특별한 이유없이 거리에 침을 뱉다니 너무나 모순적인 행동이었다. 줄 서기와 공공장소에서 침 뱉지 않기 모두 불변의 도덕률은 아니지만, 우리는 이행동이 바른 시민의 기본 소양임을 알고 있다. 새치기는 절대 하지 않는 모범적인 사람과 공적인 장소에서 침을 뱉으며 혐오감을 주는 사람이 동일한 인물이라고 누가 감히 상상할 수 있을까. 끼어들기로 뒷사람에게 피해를 줘서는 안 되지만, 거리에 침을 뱉는 행위만큼은 자유의 영역이라고 생각한 걸까? 아마도 "이 정도는 괜찮겠지."라는 안일한 판단이 불러온 결과였을 것이다.

길가에서 담배를 피우거나 침을 뱉는 행위를 했다는 것 자체만으로 그들을 온전히 비도덕적인 사람으로 몰아세울 생각은 없다. 세상을 도덕적 잣대로만 판단하는 지나친 도덕주의에 빠져, 완벽한 도덕적 결백을 요구하는 것은 더더욱 아니다. 애매한 기준을 두고 행위의선악 구도를 나눈다면 그것은 거짓 딜레마에 불과하다. 다만 그들을통해 모호한 이중잣대의 위험성을 돌아보게 됐다. 누구든 마음 속에 두루뭉술한 기준을 세우고 살아갈 수는 있지만, 이를 없애거나 통일하려는 노력을 하지 않으면 자칫 법과 규율의 영역까지도 혼란을 야기할 수 있다. 가령 판사가 모호한 판단을 두고 제멋대로 판결한다면, 그로 인해 야기된 무질서는 다시금 바로잡기 힘들 것이다. 고로 우리는 도덕 불감증을 경계하고 사소한 행동일지라도 비판적으로 사고해야 한다. 융통성이라는 말 뒤에 숨어, 상황의 유연성에 따라 물에 물 탄 듯 술에 술 탄 듯 어영부영 판단해서는 안 된다. 까딱하면 '도덕적 면허' 효과에 빠져버릴 수도 있다.

캐나다 토론토 대학교에서 학생들을 대상으로 재미있는 실험을 했다. 친환경 제품과 일반 제품이 섞여 있는 구매 목록을 제시하고 물건을 고르라고 지시한 다음, 이후 이와는 전혀 관계없는 추가 실험을 진행했다. 모니터 화면을 보고 점이 반짝일 때마다 엔터 키를 누르고, 누를 때마다 5센트씩 가져가라는 조건이었다. 별도의 관리자 없이 오로지 양심에만 맡긴 실험이었는데, 실험 결과가 아주 흥미롭다. 친환경 제품을 고른 학생들이 거짓으로 엔터를 클릭하고 돈을 가져간 횟수가 일반 제품을 고른 학생들보다 훨씬 높게 나타난 것이다.

왜 친환경 제품을 고른 일명 '도덕적' 학생들이 '비도덕적인' 행동을 더 많이 한 것일까. 학자들은 이를 두고 '도덕적 면허 효과'를 언급한다. 과거에 선행이나 윤리적인 행동을 많이 했으니, 어느 정도는 비도덕적인 행동을 하더라도 무의식적으로 괜찮다는 심리적 기제가 발동했다는 것이다. 나는 이미 친환경적인 제품을 고른 도덕적인 사람이기에 조금은 이기적인 행동을 해도 된다는 일종의 도덕적 자만심을 갖게 된다는 설명이다. 길 가운데서 담배를 피우고 침을 내뱉었던 남성들도, 자신들이 일전에 한 윤리적인 행동을 자기 정당화의 방편으로 삼았을 수 있다. 수많은 착한 일을 했으니, 이 정도의 나쁜 일이야 괜찮겠지, 하고는 자기에게만 허용되는 관대함을 베푼 것이다.

비단 그들만의 이야기는 아니다. 나 역시 길에 절대 쓰레기를 버리지 않겠다는 신조를 지키면서, 부득이 급한 상황에서 몇 번의 무단횡단을 한 적이 있다. 평소엔 최대한 규범을 지키며 살고 있으니, 어쩔 수 없는 여건에서는 탈선하더라도 용인이 된다고 생각했던 것 같다. 스스로를 도덕적이라고 확신하는 많은 사람이 비도덕적인 일탈 행위에 쉽게 빠진다. 자신이 했던 선한 행동만을 생각해 한 번의 잘못에는 크게 죄의식을 갖지 않는다. 실제 수많은 정관계 인사들이 감히 상상하지 못할 범죄를 저지르고도, 염치도 없이 관행이라는 말 뒤에 숨지 않는가. 양심의 가책에 둔감해진 것이다. 애매한 판단 기준에 익숙해지거나 후안무치의 도덕 불감증에 빠지지 말자. '도덕적 면허'는 우리에게 주어진 자격이 아니다. 대강, 대충, 어림잡아 "이 정도는 괜찮겠지."라는 생각과 지금 당장 이별해야 한다.

일식집 주인장으로부터

연말을 맞아 동네 식당을 예약했다. 점심에는 정갈한 일본 가정식을 내주고, 저녁에는 일본식 코스 요리를 제공하는 곳이다. 별 기대 없이 찾았던 첫 방문 이후, 깔끔한 외관과 쫄깃한 소바 면발, 갓 튀겨낸 고소한 튀김에 반해 특별한 날까지 기념하게 됐다. 큰 도시도 아닌 가까운 동네에서의 오마카세는 처음이었던지라 어떤 종류의 요리가 펼쳐질지 마냥 궁금했고, 고대했던 날이 찾아왔다.

식당을 방문하자마자 기대감에 부풀어 일부러 메뉴판은 보지 않은 채 잠자코 오너 셰프의 준비를 기다렸다. 잠시 후 어떤 직원의 손도 거치지 않은 채 오로지 오너 셰프의 손끝만을 통해 각종 요리가 내어졌다. 여느 청담동의 레스토랑처럼 화려하지는 않았지만, 깔끔하고도 단단한 맛과 모양새에서 굉장한 품격이 느껴졌다. 포슬포슬한 일본식 달걀 요리, 자완무시부터 싱싱한 미나리와 굴, 산초를 곁들인 조림, 새우 살을 있는 그대로 눌러 담은 뜨끈한 완자탕, 순차로 나온 튀김과 소바까지. 어느 하나 정성이 깃들지 않은 메뉴가 없었다. 도심의 고급 오마카세와 견주어도 손색이 없어, 어째서 이런 작은 동네에 가게를 차리게 된 건지 연유가 궁금해질 정도였다. 그는 전채 요리에서 메인 음식, 아니 어쩌면 후식까지도 허투루 만들지 않으면서도, 바가 아닌 홀에 자리한 손님의 테이블까지 하나하나 방문해 정성스레 음식을 소개했다. 오마카세 음식점 특성상 그리 저렴한 가격은 아니었으니 손님 대부분이 특별한 날 가게를 찾았을 것이 분명했는데, 이를 정확히 꿰뚫고 있는 듯 모두를 각별하게 대우했다. 발품을 팔아 방문한 손님에게는 예약이 다 차 모시지 못한다며 연신 정중하게 죄송함을 표했다. 마른 체구의 몸으로 여러 역할을 가뿐히 해내는 모습에서 이 식당에 대한 애정과 진심이 느껴졌다. 가게를 연 지 채 2년이 되지 않은 것으로 알고 있는데, 손님들에게 맛있는 한 끼를 대접하기 위해 그가 얼마나 오랫동안 전념하고 수학했는지 어렴풋이나마 짐작할 수 있었다. 감히 확신하건대 그는 '장인'이었다.

오랜 시간 심혈을 기울여 무언가를 창작하는 사람을 '장인'이라 말한다. 현대식으로 해석하자면 어떤 영역에서 프로에 가까운 사람을 일컫는다. 그렇다면 세상의 모든 직장인을 '프로'로 분류할 수 있을까. 취업 플랫폼 잡코리아는 20대부터 40대까지의 직장인 304명을 대상으로 프로 직장인 관련 조사를 실시했다. 이 중 응답자의 무려 54.6%가 본인을 프로 직장인으로 평가했다. 주된 이유는 '업무 처리 능력이 뛰어나서(66.35)%'였다. 이어 '원만한 인간관계를 유지하고 있어서(53.0%)', '오랜 회사 생활과 사회생활에 익숙해져서(30.1%)', '일과 삶의 분리가 가능해서(11.4%)' 등의 이유가 순차적으로 집계됐다. 구인·구직 비즈니스를 전개하는 기업체에서 가볍게 진행했던 조사라 평해도 그만이지만, 설문에 응했던 사람 중 절반 이상이 스스로를 프로라고 인식한다는 것에 놀라지 않을 수 없었다. 그들은 진정한 프로가 맞을까.

지금은 일과 삶의 균형에 대한 맹목적인 지향과 직장에서 하는 일 없이 월급만 타 가는 월급루팡에 대해 비판과 선망이 동시에 오가는 시대다. 온라인에는 '회사에서 할 거 없을 때 월급루팡 하는 방법 10가지'라는 콘텐츠가 도배되어 있다. 또 다른 취업 커리어 포털이 직장인 307명을 대상으로 사내 월급루팡을 조사한 설문 결과에서, 자신을 월급루팡이라고 생각한 직장인은 71.3%나 됐다. 그러니 오늘날의 시대 통념이 '꾸준한 성실'보다는 '효율과 균형'에 맞춰져 있음은 분명하다. 오랜 시간을 들여 정성을 다해 마무리하기보다, 짧은 시간 동안 최대의 성과를 내고 나머지 자투리 시간을 다른 곳에 투자하는 것이다. 최소한의 인풋(Input)으로 최대의 아웃풋(Output)을 얻을 수 있다니 언뜻 완벽해 보이지만, 여기엔 정작 중요한 알맹이가 빠져 있다.

일식당의 주인장은 식당을 운영하는 당위성과 사명감으로, 한 명 한 명의 손님들을 어떻게 대할 것인지 연구했다. 그러나 많은 직장인은 일의 마감 기한만을 확인하고 서로의 역할 부여에만 집중한다. 주어진 일 외에는 크게 책임감이 없다 보니, 간혹 원치 않는 결과가 나온다면 서로 잘못을 떠넘기기에 바쁘다. 물론 최근까지도 뜨거운 감자로 오르내리는 열정페이처럼, 꾸역꾸역 힘들게 먹고사는 노동에 무조건적인 열정 한 스푼을 강조하는 것은 아니다. 이는 열정의 강제가 아닌 진정성에 대한 권고다. 일식집 셰프와 평범한 직장인의 가장 큰 간극은 일을 대하는 태도에 있다. 일의 속도는 시대 혹은 영역, 일의 종류에 따라서 상이할 수 있다. 하지만 업무에 대한 몰입도는 빠르기와 무관하다. 프로는 왜 이 일을 하는지 고심하고 어떻게 할 것인지 계획한다. 아마추어는 이 일이 언제 끝날지, 자신의 업무 범위가 어디까지인지 따지기 바쁘다.

　일식집 주인장의 진심이 담긴 식사를 대접받으며, 그간 나의 직업관은 어땠는지 돌아봤다. 프로젝트를 완수하는 데 전념하다 보면 과정의 즐거움과 성취는 늘 뒷전이 됐다. 이른 시일 안에 최대의 결실을 보기 위해 매달렸고, 목표가 주어진 이유와 업무의 본질에 대해 분석하려 하지 않았다. 연차가 쌓여가면서 내가 어떤 직업을 가졌는지보다는 어떤 직장에 몸담고 있는지에 온 신경을 기울였다.

　'직업인'이라는 말이 있다. 이왕 사회생활에 몸담는 김에 스스로 직장인을 자처하기보다, 어떠한 직업에 종사하고 있는 사람을 일컫는 '직업인'이 되는 편이 더 멋스럽지 않을까. 모든 직장인은 직업인으로서의 필요조건을 갖추었지만, 실상 소명 의식을 가진 직업인은 찾아보기 힘들다. 편법이나 술수에 의존하기보다 스스로 할 수 있는 모든 기술과 노력을 동원해 맡은 일을 정성스럽게 수행해 보자. 잘 닦여진 그릇에 소담하게 빚어낸 스시 한 조각을 올려놓는 장인의 손끝처럼 오롯이 내 일에 집중해 보자. 주어진 일에 애정과 고민이 깃든다는 것, 장인 정신에서 확장된 직업정신의 가치는 여전히 중요하다.

눈을 어디에다 둬야 할지

도통 시선을 어디에다 둬야 할지 모르겠다. 예전에는 낯부끄러운 모습을 보고 눈을 어디에다 두어야 할지 모르겠다고 표현했다. 그런데 이제는 말 그대로 눈의 위치를 어디에다 두어야 할지 모르겠는 세상이 됐다. 퇴근길 만원 지하철엔 여러 종류의 인간 군상이 있다. 끼어들기 정도의 수준이 아니라 애초에 줄을 설 생각이 없는 아주머니, 당장 누구와도 싸울 준비가 되어있는 듯 낮게 욕지거리를 내뱉고 있는 할아버지, 피곤함에 찌든 눈으로 핸드폰에만 시선을 박고 있는 검은 후드의 남학생. 이른 저녁임에도 술에 취해 휘청이는 아저씨와 카랑카랑한 목소리로 통화를 이어가는 젊은 여성까지. 어쩌다 만나게 되는 귀여운 아기를 제외하고는 굳이 오래 쳐다보지 않았다. 아, 물론 눈동자의 위치 하나도 자유롭지 않은 사회기에 오래도록 시선을 둘 수도 없었다.

최근 교대역을 지나가다 매우 당황스러운 일을 겪었다. 우르르 들어온 사람들 뒤로 마지막으로 열차에 탑승한 행인 한 명이 대뜸 욕설과 함께 닫힌 문을 발로 차고 두드리기 시작한 것이다. 누구도 그를 대놓고 쳐다보진 않았지만 그는 자기를 쳐다보는 시선이 기분 나쁜 듯 큰 소리로 욕을 하며 분노를 표출했다. 인파에 휩쓸려 엉겁결에 그의 옆에 서있게 된 나는 혹시나 있을 위협에 대비해 친구들과 연락하며 핸드폰에만 눈길을 꽂았다. 자칫하다 그와 눈이라도 마주친다면 큰 변을 볼 수 있겠다 싶었다. 나뿐만이 아니었다. 누구 하나 그를 말리지 않고 약속이라도 한 듯 핸드폰에 시선을 맡기고는 슬금슬금 몸만 피하고 있었다. 약속 장소가 그리 멀지 않아 다행히 금방 내릴 수 있었지만 짐작건대 그 행인이 난동을 피우는 내내 그와 눈을 마주친 사람은 단 한 명도 없었을 것이다.

"쳐다보는 게 기분 나빠서" 10대가 길거리서 60대 폭행
"뭘 쳐다봐" 주먹 휘두르고 소주병 폭행

실제 뉴스 헤드라인으로 빈번하게 등장하는 소식이다. 자극적인 타이틀을 뽑아내려는 신문사의 과장이 아니다. 실제 많은 수의 폭행과 살해 동기를 검색해 보면 '쳐다보는 게 기분 나빠서'라는 이유가 자주 등장한다. 쳐다보는 게 불편해서 생긴 갈등은 인터넷 커뮤니티에도 잇따라 등장한다. 남자가, 여자가, 어른이, 아이가 쳐다보는 시선에서 많은 이들이 불쾌함을 느끼는 것이다. 과거 눈을 마주친다는 것은 존중과 관심의 표상이었다. 타인의 시선은 어쩌다 더 이상 관심과 애정의 근간이 아니게 된 것일까.

나조차도 타인의 시선이 불편할 때가 자주 있다. 체구가 작은 탓에 키가 큰 사람들이 나를 내려다보는 경우가 많은데 그럴 때면 괜스레 짜증이 나고 신경이 쓰이고는 했다. 내가 친구들과 어떤 대화를 나누고 있는지, 어떤 동영상 콘텐츠를 보고 있는지 아무도 관찰하지 않았으면 했다. 가끔 나를 빤히 쳐다보는 사람이 있다면 까닭 없는 두려움

까지 샘솟았다. 어떤 이유에서 이토록 오래도록 바라보는 건지 그 시선의 길이와 깊이가 거북하게 느껴졌다.

한편으로는 아이러니를 느끼기도 했다. 실제로는 누군가의 시선을 불편해하면서 스마트폰 속 SNS에서는 자발적으로 무엇을 먹고 즐기고 있는지 공유하고 있었으니까. 오프라인에서는 누구도 나에 대해 관심을 두지 않기를 바랐지만, 온라인 공간에서는 온 힘을 다해 타인의 시선을 갈구하고 있었다. 현실에선 두 눈동자를 피해 숨기 바빴으면서 가상현실에서는 있는 대로 나를 드러내기에 바빴다. 대면 관계에서는 나누지 않았던 관심을, 디지털 세계에서 하트 수로 교감하고 있으니 참으로 모순적인 일이 아닐 수 없다.

'시선'은 사전적 의미로 눈이 가는 길 또는 눈의 방향을 말하지만 주의, 관심이라는 말을 비유적으로 뜻하기도 한다. 요즘의 우리는 타인에게서 '시선'을 거두고 있고, 딱 그만큼 관심도 덜어내고 있다. 상대적으로 그만큼의 관심이 개인 또는 가족, 주변인들에게 집중되고 있는 만큼 이러한 현상이 큰 문제일까 싶지만, 시선을 둘 곳이 마땅히 없어진 사회는 어쩐지 씁쓸하다. 출근길에 쓰러진 60대 경비원이 시민들의 무관심 속에 결국 숨졌다는 뉴스가 드물지 않게 들려온다. 단한 명만이라도 시선을 옮겨 그를 도왔다면 비극만은 막았을 수도 있다. 그러나 슬프게도 우리의 시야는 좁다. 아예 보지 못했으니, 관심을 가질 리 만무하지 않은가.

스몸비족의 출현이 사회적인 문제라고 한다. 스마트폰과 좀비의 합성어로 스마트폰 화면을 들여다보느라 길거리에서 고개를 숙이고 걷는 사람을 풍자하는 말이다. 보행자 사고 등 많은 사회적 문제를 야기하고 있어 대책이 시급한 상황이지만, 그 이전에 눈동자의 시선이 스마트폰으로 옮겨갈 수밖에 없게 된 배경에 대해 돌아보는 것은 어떨까. 우리는 지금 내 옆에서 크게 다친 아주머니는 정작 보지 못하고, SNS 안에서 병들어가는 한 아프리카 아이를 보며 눈물을 흘리는 괴이한 사회를 살고 있다.

나라는 인간에게는 큰 관심이 없지만, 내 동공의 위치에는 예민하게 구는 시대다. 그러나 이미 변해버린 사회를 거슬러 과거로 역행할 수는 없다. 앞으로 타인에게 과한 시선을 보내자고 억지를 부리고 싶은 것도 아니다. 다만, 선의의 관심과 불편한 호기심을 어느 정도는 구분할 수 있는 여유를 지닌 사회가 되었으면 한다. 피곤한 퇴근길 지하철에서 눈동자의 위치를 조정하느라 멍하니 생각에 잠기지조차 못하는 사회라면, 무엇인가 변화가 필요하지 않을까. 타인의 시선에 어떻게 대응할지 곤두세워진 촉각들이 조금은 무뎌지길 바라는 요즘이다.

아직은 시기상조

요즘 마트를 가면 늘 보이는 것 중 하나가 키오스크다. 지난 주말 찾은 동네 마트에도 셀프 계산대 몇 대가 자리를 차지하고 있었는데, 그 한가운데 서있는 점원 한 명의 모습이 눈에 띄었다. 그녀는 몹시 바빴다. 소분된 채소나 과일처럼 정확하게 식별하기 어려운 품목은 일일이 바코드를 찍어줘야 했고, 매의 눈으로 손님들의 주류 구매 여부를 훑으며 성인인지 아닌지를 판단해야 했다. 가격이 설정되어 있지 않아 혼란을 빚는 경우도 종종 있어 그때마다 해결사를 자처해야 했다. 실수이건 혹은 의도이건 계산이 되지 않은 물건이 가게 밖으로 새 나가지 않는지도 주시해야 했고, 종량제 봉투를 챙겨주는 것은 기본, 주차 등록까지 도움을 줘야 했다. 고객들을 끊임없이 감시하고 살피는 모습이 마치 현대판 파놉티콘(Panopticon) 같았다. 분명 능률과 편의를 위해 도입했을 시스템인데, 360도로 고객들에게 들들 볶이는 그녀의 모습은 전혀 효율적으로 보이지 않았다. 스스로 계산을 마무리 짓지 못하고 도움을 찾는 사람들과 단번에 많은 사람들의 목소리를 주워 담지 못해 쩔쩔매는 직원에게서 우리가 기대해 왔던 무인 계산대의 효용은 전혀 느낄 수 없었다.

2000년대부터 인건비 절감을 목적으로 들인 무인 계산대는 오늘날 셀프 계산대라는 이름을 달고 떡하니 한구석을 차지하고 있다. 사회적 거리 두기 문화의 확산을 가져왔던 팬데믹 장기화의 여파로 보급 속도는 더 빨라졌다. 워낙 기계가 보편화되고 서비스도 점차 간편해지다 보니, 처음에는 외면하기에 바빴던 중장년층도 이제는 무인 계산대 조작에 제법 익숙해진 모양새다. 대면 접촉을 꺼리는 사람들이 셀프 계산대에 몰리면서, 점원과 직접 마주하는 계산대보다 무인 계산대에 손님이 붐비는 모습도 드물지 않게 목격할 수 있다. 실제 많은 사람이 키오스크의 편리함을 극찬하지만 그 편익을 판단하기엔 아직 많은 과제가 남아있는 듯하다.

무인 계산대의 무분별한 확장에 따른 부작용은 곳곳에서 감지되고 있다. 의외로 많은 고객들이 간편함보다는 불편함을 호소하고 있기 때문이다. 일부 고객은 직원에게 서비스받아야 할 계산 업무를 고객에게 떠넘긴다는 반감을 표하기도 했다. 실수를 가장한 고의의 편법 계산도 문제다. 분별하기 어려운 채소를 결제할 때 실제로는 비싼 유기농 채소를 구매하면서 시스템상으로는 그보다 헐값을 지불하는 경우다. 혹여 적발당한다 해도 고객은 모르쇠로 일관한다. 기계의 결함이나 바코드의 오류라고 대충 둘러대고 마는 것이다. 직원이 항시 상주할 수 없어 일정 부분은 고객의 양심에 맡겨야 하는 만큼 절도 사건도 빈번하게 일어난다. 점주의 입장에서는 인건비 절감을 위해 과감히 선택했던 무인 계산대가 오히려 손실 비용을 늘리는 꼴이 된다. 영국 레터스대의 연구에 따르면 셀프 계산대 관련 손실률은 4%로, 소매 업종의 기존 평균 손실률보다 2배 이상 높다. 실제로 시스템의 오류와 소액 절도로 인해 처음 노렸던 비용 절감 효과가 되려 반감된다는 분석도 있다. 당장의 고정비를 줄이려다 배보다 배꼽이 더 커진 격이다.

한편으로는 노인과 같은 사회적 약자 혹은 디지털 약자의 소외를 증폭시키는 일일 수도 있다. 아무리 조작법이 단순해지고 기술이 발전된다 해도 65세 이상의 고령층이 디지털 도구에 위화감 없이 자연스럽게 스며들기는 쉽지 않다. 매번 달라지는 카드사 할인이나 마트의 월별 이벤트는 글씨도 작고 내용도 방대한 경우가 많아 적절한 혜택을 보지 못하는 경우가 대다수다. 무인 계산대가 있는 공간은 대부분 비좁고 필히 서서 결제할 수 있도록 설계되어 있어 휠체어 등을 탄 손님이 이용하기에도 부적합하다. 이들이 무인 계산대를 무리해서 사용할 경우 자칫 어린아이나 일반 손님들과 부딪히는 사고가 발생할 수도 있다. 지금의 키오스크는 사실상 사용 편의성과 안정성 모두를 잃은 것이다.

최근 해외 유통업계에서는 무인 계산대 확장세가 주춤하고 있다. 6년 전 처음 무인 계산대를 도입했던 영국 슈퍼마켓 체인 '부스'는 최근 매장 28곳 중 두 곳을 제외하고 모든 매장에서 무인 계산대를 없애겠다고 밝혔다. 직원이 직접 응대하는 방식이 고객에게 더 나은 구매 경험을 제공한다는 것이다. 월마트는 얼마 전 뉴멕시코주 매장 세 곳에서 무인 계산대를 없앴고, 로드아일랜드주에서는 키오스크 설치 숫자를 제한하는 법안마저 발의됐다. 이러한 동향은 '유인'에서 '무인'으로의 전환이 생각보다 이점이 크지 않다는 것을 방증한다. 일부 유럽에서는 직원과 여유롭게 대화하며 물건을 구매하는 일명 '수다 계산대'까지 등장했다고 하니 모든 손님이 결제의 편의를 우선시하는 것은 아닌 듯하다.

무인 계산대는 분명 사람을 위해 개발이 됐다. 정확히 말하면 고정적으로 들어가는 인건비를 아끼려는 점주의 이익과, 긴 대기 속에 자신의 결제 차례를 기다리는 고객의 편의, 매번 각종 혜택과 매뉴얼을 안내하는 직원의 번거로움을 덜고자 함이다. 하지만 지금까지는 그 누구의 입맛에도 맞추지 못한 것 같다. 마트의 주인은 더 큰 손해로, 손님은 이용 불편으로, 직원은 이도 저도 아닌 상태로 밥그릇을 빼앗겼다. 또 여전히 많은 손님이 무인 계산대에서는 10개 미만의 소규모 품목만을 결제하고, 나머지 상품을 대량으로 구매할 때는 유인 계산대를 선호한다. 아직은 과도기다. 언젠가 고도화된 기술과 시스템의 정비로 오랜 기억 속 마트의 풍경이 역사 속으로 사라지는 순간이 온다면, 그때는 무인 계산대의 사용이 우리 모두를 위한 배려의 옵션이 되기를 바란다.

아메리카노, 나오셨습니다

"해당 자료를 확인하신 후 필요하신 이미지가 있으시다면 말씀해
주세요."

뭔가 이상하지 않은가? 자료를 검토하는 이도 자료도 이미지도, 사
람부터 사물까지 모든 것들을 높여 대하고 있다. 도대체 존대어가 얼
마나 많이 쓰인 건지 모르겠는 이 문장은 부끄럽게도 얼마 전 내가 업
무를 하던 중 상사에게 남긴 말이다. 지나치게 비약적인 높임말의 반
복은 상사를 진실로 존경하는 마음에서 나온 말이 아니다. 삭막한 사
회생활의 일면으로 진정성 없는 예의를 차린 것뿐이다. 한국 사회에
서 이런 기이한 일은 나만이 겪는 고충이 아닐 것이다.

"아메리카노, 나오셨습니다."

카페에 가면 세 번 중 한번은 들리는 말이다. 말하는 이도 듣는 이
도 어딘가 어색함을 알아차리지만, 암묵적으로 서로 아무 말도 하지
않는다. 높임법과 호응이 거슬리지만, 아르바이트생의 의례적인 응
대라고 해석할 뿐이다. 어떤 카페 직원들의 말에 따르면 "아메리카
노, 나왔습니다."라는 말이 반말이라며 따지는 고객들도 일부 있다고
한다. 부적절한 갑질이라 하더라도 굳이 불편한 상황을 만들고 싶지
않으니, 부득이 '아메리카노 님'을 드높이는 마음도 이해가 간다. 다
만 이런 비상식적인 존대어가 창궐하는 세태가 불편하다. 의미 없는
갑질과 수직적인 구조에 못 이겨 나오는 영혼 없는 존댓말은 한국어

의 잘못된 존비어 체계를 돌아보게 만든다.

한국어에서 실질적으로 존댓말이란, 아직 친밀하지 않은 사람이나 손윗사람을 대상으로 상대를 높이는 존중어를 가리킨다. 아랫사람이 윗사람을 위하는 것이 당연하지 않냐고 반문할 수 있겠지만, 우리나라는 그 정도가 가히 심하다. 나이, 항렬, 직급, 계급 등을 기준으로 존댓말을 해야만 하는 사람과 반말해도 되는 사람 간의 상하관계가 성립된다. 단순히 말뿐이라고 치부할 수 있지만, 이는 미묘한 심리적 거리와 보이지 않는 유리천장을 만든다. 나보다 높은 위치로 분류된 사람을 대우하지 않는 경우에는 예의 없는 사람으로 낙인찍히기 일쑤다. 또 위에 자리 잡고 있다고 자만하는 이들은 쉽사리 밑으로 내려오려 하지 않는다. 가깝지 않은 사이 일지라도 쉽게 하대하고 상대방을 낮춰 말하는 것이 당연하다. 이쯤 되니 존댓말이 진짜 존중어가 맞는지 의아함을 갖게 된다.

서양권의 언어는 비교적 단순하다. "아메리카노, 나오셨습니다."라는 긴 문장도 "Americano."라는 평어 한 번이면 충분하다. 누구도 커피를 건네는 직원을 무례하다고 평가하지 않는다. 고객과 손님, 상사와 부하직원 간의 언어적 위계질서는 존재하지 않기에 반말도 존댓말도 아닌 담백한 대화들이 오간다. '~습니다.', '~십니다.' 등의 종결 어미나 어떠한 부연 설명도 달리지 않는다. 그렇다고 서양권에 존중어가 존재하지 않는 것은 아니다. 다만, 그들에게 존댓말이란 '높게 떠받든다'가 아닌 '거리를 두며 귀중하게 대한다'라는 뜻에 가깝다. 서양권에는 한국과 달리 위계적인 존비어 구조가 없는 이유다.

다행히 잘못된 존비어 문화는 조금씩 개선되고 있다. 2016년 군대에서부터 사회로까지 순차적으로 폐지되어 온 압존법이 이미 그 출발을 알렸다. 압존법은 대화의 대상이 되는 사람에 대한 존대 여부를 화자가 아닌 청자를 기준으로 하는 유명무실한 문법 체계로, 필요 이상의 격식을 차리는 허례허식의 대표적인 예다. 이전 군대 조직에서 출발한 남성 위주의 문화는 상급자가 하급자를 깔보고 오로지 상급자를 존대하는 것이 일반적이었으나, 시간이 점차 흐르고 여성의 사회 진출이 보편화되면서 군대식 존비 문화는 조금씩 옅어지게 됐고 수평적으로 변한 사회적 분위기에 따라 압존법은 점차 역사 속으로 사라지게 됐다. 여전히 압존법을 칼같이 고수하는 몇몇 이들이 되레 고루하고 폐쇄적인 사람으로 손가락질받는 세상이 된 것이다.

한국 사회는 더 이상 계급사회가 아니다. 우리가 있는 곳은 조선이 아닌 대한민국이다. 꼬박꼬박 존댓말을 하는지 하지 않는지는 중요하지 않다. 진실로 중한 것은 상대방을 존중하는 마음이다. 연공서열이나 하이어아키를 따지기 전에 상대방에 대한 공경과 예를 다하자. "아메리카노, 나오셨습니다."라는 비문이 완전히 사라지게 되는 날, 우리는 진정한 동방예의지국으로 거듭날 수 있다.

그놈이 그놈이다

연애 리얼리티 프로그램 전성시대다. 그중 방송가뿐만 아니라 전국을 들썩이게 만들었던 프로그램이 있다. 이름하여 〈나는 솔로〉다. 결혼을 간절히 원하는 솔로 남녀들이 모여 사랑을 찾기 위해 고군분투하는 이 극사실주의 데이트 프로그램은, 타 방송과 달리 일반인을 대상으로 각본 없는 실제 상황을 담아 보여줘 시청자들에게 많은 사랑을 받았다. 이중 오해와 분쟁, 사랑과 욕망이 더욱 적나라하게 비쳤던 16기는, 수많은 빌런의 탄생과 함께 숱한 화제를 낳았다. 마지막 화 방영쯤에는 라이브 스트리밍 조회 수가 190만 회 이상을 기록했을 정도로 대중의 관심이 뜨거웠고, 방송 종료 후에도 출연자들의 설전과 진실 공방전이 벌어지면서 오래도록 세간의 주목을 받았다. 또 빌런으로 지목된 사람들의 SNS에는 대중들의 발길이 계속해서 이어졌다. 그들이 하는 모든 행동은 마치 연예인처럼 이목을 집중시켰고, 크고 작은 악플이 끊이지 않았다. 종국에는 출연자들의 잘잘못이 밝혀지면서 법정 공방까지 이어졌고, 나는 이 모든 갈등의 시발점이 출연자들의 자극적인 면모만을 조명한 '방송국 놈들'이라고 생각했다.

몇 년 전 종영한 〈아내의 맛〉 리얼리티 프로그램도 상황은 별반 다르지 않았다. 출연진 중 유독 뜨거운 인기를 얻었던 함소원 부부는, 신혼집과 시부모의 가문 전체가 모두 조작이었다는 사실이 밝혀지면서 시청자들에게 뭇매를 맞았다. 수많은 의혹이 끊이지 않자, 제작진은 촬영 및 편집 과정에서 과장된 연출이 있었음을 인정했고 출연진 역시 조작 여부를 시인했다. 시청자들의 원성과 공분을 샀던 이 사건으로 출연자 부부는 하차했고 신뢰를 잃은 프로그램은 갈피를 잡지 못하다 결국 방영을 종료했다. 프로그램의 원활한 진행을 위해 어느 정도의 연출과 대본, 설정은 필요하다. 하지만 사실이 아닌 거짓을 토대로 한 방송은 시청자들에 대한 기만이며, '방송국 놈들'의 시선 끌기일 뿐 그 이상도 이하도 아니다.

한편 샘 해밍턴이 육아 예능 〈슈퍼맨이 돌아왔다〉의 하차 이유를 밝힌 것이 큰 화제를 모았는데, 이때 '방송국 놈들'이라는 단어를 사용하며 이제는 그들과 함께하지 않아 편하다는 너스레를 떨었다. 그가 짧고 굵게 던진 '방송국 놈들'이라는 말은 꽤 부정적인 뉘앙스를 풍기면서 은근슬쩍 제작진을 저격했다는 의혹을 낳았다. 장장 5년간의 촬영 기간 어떤 일들이 있었는지는 알 수 없지만, 일명 '방송국 놈들'이 그와 아이들을 얼마나 입맛대로 주물렀을지 짐작할 수 있는 한마디였다. '방송국 놈들'은 PD나 작가 등 방송 프로그램을 만드는 제작진을 폄하하는 말이다. 일명 '기레기'라고 불리는 기자들만큼이나 평판이 깎아내려지며 수없이 많은 비난을 받고 있다. 그들은 방송의 재미와 의미를 위해, 대개 수단과 방법을 가리지 않는다. 왜 '방송국 놈들'은 이토록 과도한 설정과 조작으로 자극적인 방송 제작에 집착하는 것일까.

답은 간단하다. 보고 싶어 하는 사람들이 있으니까. 그놈이 그놈인 격이다. 어느 순간부터 우리 일상에 자리 잡은 리얼리티 관찰 예능 프로그램은 평범한 연예인의 일과를 공개하는 포맷만으로는 더 이상 신선한 자극을 줄 수 없게 됐다. 채널을 돌릴 때마다 비슷한 형태의 방송이 넘쳐나자, 시청자들은 "색다른 프로그램이 나왔으면 좋겠다.", "요즘 볼 게 없다." 등 지루함을 토로했다. 결국 방송가는 '시청자 놈들'의 몰입도를 높이기 위한 소재 찾기에 혈안이 됐고, 더 관능적이고 이색적인 요소를 찾아 사실이 아닐지라도 방송에 노출하는 위험을 감수하기 시작했다.

리얼리티 예능 포맷의 유행은 시청자의 '관음증'적 욕구와 맞닿아 있다는 이야기가 있다. 연예인의 사적인 삶 또는 사랑을 노골적으로 훔쳐보는 재미가 시청자의 '관음증'을 충족시킨다는 것이다. 타인의 사적인 활동을 몰래 엿보는 욕망 특성상 더 도발적일수록 더 원초적일수록 큰 만족과 중독성을 안겨준다. '시청자 놈들'이 원하는 만큼 '방송국 놈들'은 새로운 자극 거리를 생산해 내고 이에 세뇌된 '시청자 놈들'은 또다시 더 농밀한 콘텐츠를 요구한다. 결국 허위와 날조가 재생산될 수밖에 없는 시스템이다.

'방송국 놈들'과 '시청자 놈들'에 의해 순수했던 프로그램들이 조금씩 변질되고 있다. 과거 모든 출연자와 제작진이 몸을 아끼지 않는 살신성인의 태도로 웃음과 감동을 준 버라이어티 예능과 달리, 초호화

생활이나 성적인 요소들이 범벅된 관찰 예능이 범람하고 있다. 다양한 프로그램들이 본래의 색깔을 잃기 전에 서둘러 초심으로 돌아가야 한다. '방송국 놈들'은 시청자들의 도파민을 일시적으로 자극하는 단발성 화젯거리에 대한 집착을 벗고, '시청자 놈들'은 과장되거나 자극적인 요소 없이 편안한 방송을 즐기는 습관을 다져야 한다. 최근 매 콘텐츠 이목을 집중시키고 있는 유재석 사단 유튜브 〈핑계고〉의 인기 비결은, 일회성 흥행이 아닌 진솔한 대화에서 느껴지는 친근함과 공감대다. 이처럼 만드는 자도 보는 자도 서로가 편안한 방송을 생산하는 데 다 같이 일조해야 한다. 초심을 찾고 서로 소통하며 더욱 진정성 있는 방송 생태계를 꾸려야 하는 것이다. 그놈이 그놈이라며 눈살을 찌푸릴 일 없는 담백한 방송이 오래도록 장수하는 때가 머지않은 시기에 도래하기를 기대해 본다.

감사가 뭐 그리 어렵다고

나는 주변 사람들에게 꽤 예의 바른 사람으로 정평이 나 있다. 툭하면 감사 인사를 꺼내는 습관 때문이리라. 도덕 선생님이었던 아빠와 엄한 엄마 밑에서 자라 알게 모르게 체득한 윤리관 덕분인지도 모르겠다. 카페나 식당에서는 특히나 "감사합니다."를 남발한다. 서빙을 받는 와중에도 계산하는 중에도 감사 말을 연속적으로 내뱉는다. 대부분 진심이다. 그러나 가끔은 맞은편 일행에게 예절 바른 사람이라는 이미지를 심어주고 싶은 목적도, 식당 아주머니에게 이 정도면 교양 있는 손님이 아니냐는 건방을 떨고 싶은 속내도 있다. 여러모로 손해 볼일 없는 행동이기에 어떤 장소를 가건, 내 "감사합니다."는 멈출 줄 모른다.

그런데 유독 버스 안에서는 "감사합니다."라는 말이 목구멍 끝에 걸려 올라오지 않는다. 기껏 표현한다는 것이 끄떡하는 고갯짓뿐이다. 나를 아는 사람이 한 명도 없는 버스 안에서 눈조차 마주친 적 없는 기사님에게 "감사합니다."라는 말을 내뱉기에는 명분이 부족한 걸까. 피상적으로만 생각해 봐도 먹을 반찬을 내주는 아주머니보다 생명을 걸고 안전한 귀갓길을 책임져 주는 기사님이 더 감사한 것이 당연하다. 한데 이상하게도 버스 기사님을 향한 우렁찬 감사 인사는 꺼내기 어렵다. 뭐 그리 어려운 일이라고 버스 안에서는 자꾸만 주춤하게 되는 걸까.

오랜 시간 동안의 추론 끝에 얻은 이유는 두 가지다. 첫째는 쌍방향 소통의 부재다. 단언할 수는 없지만 대부분의 버스 기사님은 운전에 집중하고 있기에 원활한 소통을 기대하기 힘들다. 승객과 눈을 마주치지 않는 기사님은 물론 목적지를 묻거나 도움을 요청할 때마저 냉소적인 태도로 일관하는 기사님들까지 있어, 섣불리 인사말을 던질 용기를 내기 어렵다. 씩씩하게 인사를 건네도 대답 없는 메아리가 되어 돌아올 게 뻔해 보이니 굳이 뻘쭘함을 무릅쓰지 않는 것이다. 두 번째 이유는 삭막한 버스 분위기다. 안전한 운행을 위해 정숙하고 조용한 환경을 유지하는 것은 옳으나, 일말의 대화 없이 모두가 무표정으로 몸을 싣고 가는 버스는 괜스레 반감이 생긴다. 이상하리만큼 고요하니 혼자 큰 소리로 감사 인사를 전하며 적막을 깨는 것이 부담스럽다. 그런 탓인지 우리는 언젠가부터 버스에서 감사한 마음을 나누는 데 인색해졌다. 고마운 마음이 들어도 쉽사리 세상 밖으로 나오지 못한 "감사합니다."는 입술 안에서만 메아리치다 조용히 삼켜지고는 했다.

과거 버스 안은 조금 더 사람 냄새나는 공간이었다. 영화나 책을 통해 접했던 버스 안내양들은 "오라이."라는 소리와 함께 출발 알림은 물론 버스 안의 분위기까지 책임졌다. 차표를 내기 어려워하는 할머니들을 돕고 만원 버스 끝으로 삐져나온 승객들을 능숙한 손놀림으로 밀어 넣으며 손님들과 부대꼈다. 길 안내부터 분실물 찾아주기, 소매치기 주의 방송까지 여러 방면에서 활동했던 그들 덕분에 버스 안은 떠들썩한 활기로 가득 차 있었다. 그 시대를 경험해 본 적은 없지만 전반적으로 생동감 넘치던 버스 안에서 옆 승객과 안부를 전하고 기사님들과 인사를 나누는 것은 당연한 일이었을 거다. 당시의 버스 안내양들이 지금의 버스를 탄다면 뭐라고 말할까. 고요를 넘어 쓸쓸하기까지 한 버스 분위기에 탑승 자체를 거절할지도 모르겠다.

  요즘은 거리에서도 "감사합니다."라는 말을 듣기 쉽지 않다. 나부터도 버스 하차 시 그랬던 것처럼, 분명 고마운 마음은 갖고 있으나 여러 가지 이유가 맞물려 표현에 어려움을 겪는 것일 테다. 그러나 받은 것에 대한 고마움을 표하지 않으면 오해와 단절이 쌓여가기 마련이다. 또 감사한 마음들이 여기저기 지천으로 깔려있다 해도 그 말이 당사자에게 직접 전달되지 않으면 무용지물이다. 아무도 인사해 주지 않는 버스 안, 열심히 목적지에 데려다준 기사님은 매일 보람은커녕 헛헛한 감정만을 느끼고 있을지도 모른다. 겪은 그대로 말하면 될 뿐인데, 뭐 그리 힘들다고 '감사'를 드러내는 데 이리 각박한 걸까. 혹사람 냄새나는 따뜻한 사회가 그립다면 달싹이는 입술을 먼저 열어 보는 게 어떨까. 혹여 몇몇 사람들로 인해 일방향의 소통에 그치더라도 잠깐의 머쓱함은 그뿐이다. 대부분의 경우 입 밖에 꺼내진 "감사합니다."들이 세상의 온도를 데울 것이 분명하다.

겨울 매력 탐구 생활

늦은 가을이 가고 곧이어 따라온 낯선 겨울은 매번 새롭고 반갑다. 색색이 풍요로웠던 나무는 어느 날 갑자기 옷을 벌거벗는데 그 갑작스러움이 꽤 신선하다. 추워서 풍겨 나오는 김이 오히려 모락모락 따뜻해 보이는 반전 매력도 느껴진다. 겨울이 제 자화상을 그린다면 시리도록 하얀 배경 사이로 군데군데 노란 불빛을 그려 넣지 않을까. 도화지 안에 차갑고 따뜻한 것들이 얽혀 근사한 풍경을 완성했을 것이다. 겨울은 파고드는 추위도 스며드는 온기도 모두 소화할 수 있는 매력적인 계절이다.

11월이 되면 방 안에 어디에 뒀는지 기억도 못 하는 일기를 찾아보곤 한다. 벽걸이 달력이 두어 장밖에 남지 않았음을 손끝으로 느끼며, 한 해 동안 만났던 사람들과의 기억을 꺼내보기도 한다. 그러다 보면 이내 곧 앞으로의 계획이 그려진다. 작지만 단단한 목표들이 생기고 새로운 꿈들이 움튼다. 고심해서 고른 다이어리의 첫 페이지에 갖가지 소망들을 눌러 담다 보면 어쩐 일인지 긍정적인 희망이 끓어오르기도 한다. 마치 김칫국을 한 사발 마신 것처럼 일어나지도 않은 일에 벌써 뿌듯함을 느낀다. 작심삼일로 끝날 것이 뻔하겠지만, 시작만으로도 일말의 성취감을 느낄 수 있다면 나름의 의의가 있지 않나 싶다. 오로지 이 시기에만 누릴 수 있는 경험이다.

뭉근히 느껴지는 초겨울 추위에는 사색과 함께하는 산책이 제격이다. 떨어진 낙엽들을 밟고 걷다 보면 추억 내지는 잊고 싶은 기억을 돌아보게 되기 때문이다.

날 무지막지하게 내쳤던 그때 그 친구는 잘 살고 있나.

그때 그런 결정을 하지 않았더라면 어떻게 됐을까.

사실은 여전히 나의 잘못인 건 아닐까.

신기한 건 꼬리에 꼬리를 문 부정적인 생각이 거니는 발자국마다 나타났다 사라지고 생겼다 잊히기를 반복한다는 것이다. 이런저런 과거에 얽매여 있다가도, 주머니 안 손끝에 느껴지는 핫팩의 온기가 다시 현실로의 복귀를 이어준다. 영화 〈인셉션〉에서 꿈을 꾸던 주인공들이 현실로 돌아오는 데 사용했던 토템과 같은 역할이랄까. 불운했던 과거에서 희망찬 현실 혹은 미래로 전복되는 듯한 정도의 반전은 아니지만, 잔잔하게 아팠던 기억의 조각들이 찬 바람에 떠밀려 멀어져 가고 있음에 큰 위안을 느끼게 된다.

한편 겨울은 사절기의 마지막인 척하지만, 알고 보면 첫 번째 순서이기도 하다. 한 해의 말미라는 점에서 괜히 아쉽고 애틋한 마음이 들지만, 함박눈이 온 동네를 뒤덮는 순간 지난했던 고민과 걱정들도 눈속에 파묻히고 만다. 뒤이어 눈이 녹고 나면 모든 것들이 함께 사라지고 겨울철 빈 노지에서 봄동이 움트듯 새로운 절기를 맞이할 준비가 시작된다. 겨울의 앙상한 가지는 또다시 다음 계절이 찾아와 풍성한 나뭇잎이 채워질 거라는 복선과도 같다. 새삼 겨울이 한 해의 끝과 이

듬해의 시작을 연결하는 '변곡점'이라는 생각도 든다. 햇빛도 잎들도 농사도 마음도 무르익음의 끝에 저물어간다. 푸르렀던 것들이 저마다의 색으로 물들어 가다 또 한 번 새롭게 태어날 변화를 맞는다. 그러니 겨울은 성숙과 성장의 계절인지도 모르겠다.

겨울은 순환의 시작이다. 꽃이 진 자리에 새싹이 다시 피고 겨울이 가고 나면 반드시 봄이 오는 것처럼 모든 것은 절차이자 순리이고 반복되는 서사다. 다만 이 주기적인 되풀이는 단순 반복성에만 의존하지는 않고, 매번 지우개를 들어 후회와 반성으로 얼룩진 한 해의 흔적을 없앨 수 있는 용기를 불어넣어 준다. 또다시 돌아올 새해에는 이를 바로잡을 기회까지 제공한다. 덕분에 겨울을 통해 우리는 매번 새로이 출발할 수 있다.

이런저런 이유로 겨울이 달갑지 않았던 사람들이 있다면, 이번 기회를 통해 겨울의 이모저모를 들여다볼 수 있기를 바란다.

2장

번뜩 깨우친 것들

불현듯 뇌리를 스치는 상념은 때로 의미 있다. 목욕탕에서 넘치는 물을 보고 진리를 깨달은 아르키메데스처럼 '유레카'를 외치는 순간들이다.

현대판 톨레랑스

오랜만에 언니네 집을 방문하니 이제 막 다섯 살이 된 조카가 꼬물꼬물 무언가를 숨긴다. 아직은 제 몸을 제대로 가눌 줄 몰라, 작은 체구 사이로 삐죽 물건이 튀어나왔다. 등 뒤의 분홍색 하트 가방을 이미 발견해 버렸지만, 장난기 가득한 눈을 보아하니 도저히 아는 체를 할 수가 없었다. 모르는 척, 궁금한 척 장단을 맞춰주니 더 신이 났다. 본인의 장난이 스스로도 뿌듯한지 어깨가 하늘 높은 줄 모르고 솟아있다. 알은체하지 않아도 어른의 몫을 다할 수 있음에 나 역시 보람을 느꼈다.

한번은 부하 직원 A 씨의 업무 누락을 발견했다. 성과에 누를 끼칠 수 있는 정도의 명백한 실수였지만 굳이 잘잘못을 따지고 싶지는 않았다. 그 직원이 일부러 실수하지 않았다는 것을 누구보다 잘 알고 있었고, 다행히 중간 관리자인 내가 급하게 불을 끌 수 있는 정도의 사안이었기 때문이다. 당시 A 씨는 간간이 짬이 날 때마다 커피 한 잔과 함께 면담을 신청하고는 했는데, 일에 욕심이 많아 각종 프로젝트를 벌이면서도 매듭을 짓는 방법을 몰라 헤매곤 했다. 다만 해결 방안을 알아가는 데 시간이 걸렸을 뿐 항상 성장에 목말라하며 누구보다 열심히 일하는 동료였다. 고로 난 시비를 가려 그의 용기와 사기를 꺾는 대신 조용히 실수를 눈감아 주는 쪽을 택했다. 평소 살뜰히 챙겨주지 못했던 내가 그에게 해줄 수 있는 유일한 배려였다. 그때 A 씨에겐 실수한 사실조차 모르는 게 약이었을 거다. 불편한 진실을 가려줄 수 있는 어른으로 성장하고 있음에 내심 안도했던 기억이 난다.

살다 보면 으레 모르는 척해줬으면 하는 순간들이 있다. 더 잘할 수 있었는데 컨디션 난조로 망쳐버린 시험 성적표나, 의도치 않게 신발 속에서 뚫려버린 양말 구멍 또는 예상치 못한 카드 한도 초과 알람 같은 것들이다. 나도 언니가 비밀스럽게 이어갔던 첫 연애를 기어코 파헤쳐 마음을 상하게 했던 때가 있다. 어릴 적부터 우애가 좋았던지라 고등학생이었던 나와 막 대학생이 된 언니 사이에 벌어진 시간적 간극이 낯설었다. 침대 끝머리를 맞대고 온갖 비밀 얘기를 나누던 때와 달리, 자꾸만 진실을 감추는 언니가 실망스럽고 원망스러웠던 것 같다. 언니가 잠든 때를 틈타 몰래 핸드폰 속 문자를 확인하면서 그녀의 연애 사실을 깨달았을 당시엔, 첫 연애의 의뭉스럽고도 서툰 감정을 이해할 수 없을 나이였다. 참을성 없던 어린 나에 의해 언니의 첫사랑은 결국 세상 밖으로 탄로나 버렸다. 지금 돌이켜보면 스스럼없이 얘기해 줄 때까지 기다려줬을 텐데, 나는 끝내 언니의 소중한 비밀을 모른 척하지 못했다. 시간이 흘러 언니의 딸아이를 통해 그 옛날 알은체의 과오를 씻어낼 수 있어 얼마나 다행인지 모른다.

감추고 싶은 사실을 구태여 꺼내 들춰내지 않는 것은 삶을 지혜롭게 사는 묘안이다. 시시비비를 가리는 데 집중하면 결국 늘어나는 것은 생채기와 외로움뿐인 반면, 넉넉한 관용은 관계를 더욱 윤택하게 기름칠해 준다. 조카아이의 순수함을 온전히 지켜준 것도, A 씨의 건실한 성장을 오롯이 응원할 수 있던 것도 모두 작은 관용 덕분이었다. 이때 관용이란 남의 잘못 따위를 너그럽게 받아들이거나 용서하는 것을 가리키는데, 내가 동의하지 않는 것을 용인할 수 있는 너른 마음을 뜻하기도 한다. 상대방의 의견을 주체적으로 인정하고 수용한다는 것은 결국 마음 씀씀이의 문제다. 품고 포용할 수 있을 정도로 넓은 아량과 마음의 허용치를 갖고 있어야 한다는 말이다. 알아도 모른 척 너그러이 넘어가 주는 배려의 태도는 요즘처럼 날 선 사회의 모서리를 둥글게 만들어주는 사포질과 같다. 매사 그럴 순 없겠지만 자신도 모르게 남을 지적하거나 그의 잘못을 알은체 티 내고 싶다면, 현대판 '톨레랑스'를 기억하자. '모르는 척'해서 손해 볼 것은 없다. 또 '아는 척'보다는 '모르는 척'이 더 있어 보이는 법이다. '아는 척'은 결국 모른다는 것이고 '모르는 척'은 사실 알고 있다는 것이니, 아는 것을 숨겨주는 정도의 호의로 세상을 윤기 나게 만들어보자.

홈 스위트 홈

날씨가 추워진 탓인지 집에 머무는 시간이 많아졌다. 하지만 집에 머무르면서 정작 내가 가장 하고 싶은 건 집을 나서는 일이다. 세상에서 제일 안전해야 할 이 공간이 때로는 가장 호흡을 불안정하게 만들기 때문이다. 분명히 자의적으로 회귀한 공간이지만, 누가 강제적으로 묶어둔 것처럼 강한 답답함을 느낀다. 해서 요즘 내게 '집'은 이중적인 의미다. 안식과 우울의 공간이자, 따뜻해 보이지만 내심 외로운 공간이며, 사적이면서 한없이 단절된 공간이다. 나는 언제부터 '집'이 외롭게 느껴졌을까.

현관을 들어서며 쾅 문이 닫히는 순간, 나는 시끄러웠던 사회로부터 완벽하게 차단된다. 신발을 한 켤레씩 벗어낸 날 것의 발이 사각모양의 갇힌 공간을 향한다. 가벼워진 발이 산뜻하나 한편으로는 전장에서 돌아와 오랜만에 무기를 내려놓은 군인처럼 어색하고 새삼스럽다. 몸이 편안해진 만큼 정신은 날이 선다. 늘어지는 팔다리만큼 생각의 꼬리가 길어진다. 세상 밖 복잡한 고리를 끊어내고 한결 단순해지고 싶어 돌아왔는데, 생각의 덩어리는 점점 엉키어 부풀어진다. 질펀하게 누워 있어 보지만 이내 곧 유체 이탈을 겪는다. 뉜 몸 위로 정신과 영혼이 부유한다. 침대 위에서 온전히 휴식을 취하는 방법을 잊어버린 듯싶다.

날 선 바람이 부는 바깥과 달리 집에는 평온하고도 고요한 오후가 찾아와 있다. 창가 주변으로 햇빛이 딱 반만 들어선다. 어둑함을 밝히기엔 충분하나, 광합성을 하기엔 턱없이 모자란 빛의 양이다. 햇빛이 필요하지 않은 사물들이 가만히 햇볕을 받고 있다. 노랗게 얼룩진 모양새에서 생동감이 느껴지지만, 사실은 생기가 없다. 나는 사물을 가만히 바라보는데 사물은 내게 관심이 없다. 모든 것이 적막한 탓인지 쓸쓸한 기분이다.

2013년 처음 방송된 MBC 예능 〈나 혼자 산다〉가 어느덧 10주년을 맞았다. 당시 687만 가구였던 1인 가구는 10년이 흐른 지금 거의 1,000만 가구에 육박한다. 당장 서울시만 들여다보아도 전체 가구 수의 무려 34.5%가 1인 가구다. 정책부터 시장 경제까지 어떠한 것도 1인 가구를 무시하고는 거론할 수 없는 세상이 되었다. 1인 가구 중 가장 많은 나이대는 청년들이다. 통계청이 발표한 자료에 따르면 29세 이하의 1인 가구가 19.2%로 가장 큰 비중을 차지한다.

그런데 오늘날 나 혼자 사는 젊은이들에게서 간혹 안타까운 소식들이 들려오고 있다. 그들의 생애가 아닌 죽음에 대해서다. 사회적 문제로 대두되고 있는 고독사, 그중에서도 2030 청년들의 외로운 죽음은 놀라운 폭으로 가파르게 증가하고 있다. 실제 집에서만 은둔하며 고립된 청년들은 전국 기준 54만 명에 달한다고 한다. 전체 청년 인구의 무려 5%다. 사람과 관계를 맺지 않거나 집 밖으로 나오지 않는

은둔 청년들은 많은 경우 우울증과 불면증, 폭식증을 앓고 있다고 한다. 고립된 청년 4명 중 3명(75.4%)이 극단적인 선택을 생각한 적이 있다는 실태 조사 결과도 있다. 수많은 사연이 있겠지만, 대부분 취약한 환경에서 느껴지는 반복적인 우울과 자존감 하락이 주된 이유일 것이다. 54만 명의 청년들에게도 집은 더 이상 안식의 '집'이 아니다. 이유는 무엇일까.

현대에 이르러 집은 단순히 물리적 측면의 거주지에 국한되지 않는다. 어린 시절 읽었던 『아기 돼지 삼 형제』 속 셋째 돼지가 지은 튼튼한 벽돌집의 개념에 그치는 것이 아니다. 사람들은 더 이상 비나 바람, 타인으로부터 자신을 보호하는 공간을 찾기 위해 집을 구하지 않는다. 가장 중요한 것은 심리적인 안정의 확보. 우리는 '집'이라는 안식처에서 휴식하고 기력을 충전하며, 세상 어느 곳보다 가장 큰 편안함을 느낀다. 이때, 요즘의 '집'엔 전통적인 집의 형태와 명백히 다른 것이 하나 있다. 바로 가족의 유무다. 어린 시절 집은 가족과 함께하는 공간이기에 심리적 유대와 소통을 가능케 했다. 부모 또는 형제와 시간을 보내며 여러 가지 경험과 추억을 축적해 나갔고, 그곳에서 확립된 정체성이 나라는 사람을 규정짓는 기반이 되었다.

돌아보면 나 역시 세상에 태어나 지금까지 '집'이라는 공간을 떠났던 적이 없었다. 지금의 나는 '집'으로부터 만들어졌고, 그 '집'은 분명 우리 가족 모두가 함께 사는 세상이었다. 집이 뭐 별거인가. 사랑,

행복, 따스한 것들로 채워진 곳이 있다면 그것이 진정 '집'일 테지. 문득 기억났다. 내가 사랑했던 '집'은, 오랜 시간 몸담았던 '집'은, 장소가 아닌 상황과 형편의 개념이었다. 그곳엔 단절이 아닌 연결과 소통이 있었고, 사물이 아닌 사람으로 채워져 있었다. 온정이 머물렀던 즐거운 나의 '집', 온전한 우리의 스위트 홈이 그립다.

호와 불호

학창 시절엔 취향과 기호를 분명하게 드러낼 줄 아는 사람이 그렇게 멋져 보일 수가 없었다. "나는 여름이 좋아."라고 당당하게 밝혔던 친구는 마치 여름처럼 쨍하고 쾌청하고 건강해 보였다. 비록 난 여름을 싫어했지만, "여름의 장점만을 모아 인간으로 빚어낸다면 그 친구의 모습과 비슷하지 않을까?"하는 생각이 들 정도였다. 그때부터 나는 나의 선호에 집착하기 시작했다.

나는 "아이스 아메리카노가 좋아."라며 커피에 대한 첫 선호를 내뱉었던 날, 내 뇌는 전국 아니 어쩌면 전 세계 모든 카페 메뉴에서 아이스 아메리카노를 제외한 선택지를 지워버렸다. 라테는 우유가 들어가 어쩐지 입이 텁텁하게 느껴질 거라는 이유만으로, 초콜릿 모카치노는 첫입의 즐거움만 있을 뿐 금방 질릴 맛이라는 추측만으로 입술 근처에 대보지조차 않았다. 작은 뇌 안에서 호가 아닌 것들은 자연스레 불호로 취급되었다. 흐린 날씨가 싫었다. 눈을 뜨자마자 바라본 머리맡 창가의 색이 탁한 날이면, 괜히 힘이 빠지고 짜증이 솟구쳤다. 놀라운 건 그 불편한 느낌에 심취하며, 기분을 전환하려는 노력조차 하지 않았다는 것이다. 웃을만한 일이 생겨도 굳이 모른 척하며, 탐탁지 않은 역정의 태도를 유지하려 애썼다. 흐린 날씨를 싫어하는 나, 그 공식을 깨기가 두려웠다. 취향이 확고한 사람이 무조건 매력적이라는 편견에 휩싸여 있던 때였다.

인식의 변화는 기호가 변할 수 있다는 데서 시작했다.

분명 가장 싫어하는 계절을 꼽으라면, 여름이었다. 끈적한 공기와 온도, 들끓는 벌레들, 뜨거운 햇빛 등 그 이유에 대해서도 낱낱이 읊을 수 있을 정도. 굳이 덧붙이자면 몸매에 크게 자신이 있지 않았으므로 얇아진 옷의 두께도 마음에 들지 않았다. 특히 여름이 막 시작되는 6월은 내게 크게 의미 있는 달이 아니었다. 평월 대비 휴일이 많지도 않고, 늦봄과 초여름 사이에서 우거지기 시작한 녹음의 색은 영 내 취향이 아니었다. 'June'이라는 짧은 영어 발음도 그득해지는 습기도 달갑게 느껴지지 않았다.

하지만 2023년의 6월은 조금 달랐다. 비단 결혼이라는 새로운 시작의 전환점이 있었기 때문만은 아니다. 애써 부정하려 해봐도 축축한 여름의 온도가, 눅눅해진 잎들이, 검게 보일 정도로 초록해진 숲들이 마음에 들어왔다. 여전히 영어 발음은 내 취향이 아니었지만, '여름'이라는 한글 단어가 어쩐지 곱게 느껴지기도 했다. 눈 부신 햇살이 내리쬐는 날이면 짜증이 끓어오르기보다, 만화영화 속 한 장면 같은 뭉게구름 아래로 잊지 못할 사랑스러운 사건이 벌어질 것만 같아 설레기도 했다. 그렇게 싫었던 비 오는 여름날에도, 어둑해진 분위기와 울렁이는 조명들에 남모를 낭만을 느꼈다. 훅하고 마음을 빼앗은 여름은 아쉬울 만큼 빠르게 초 단위로 부서져 갔다. 여전히 좋아하는 계절 1순위를 여름으로 꼽을 수는 없지만 굳이 여름을 싫어한다고 말하지는 않는다. 분명한 취향의 변화다.

우리는 많은 경우, 사람의 취향과 기호가 그 사람의 색깔을 대변한다고 생각한다. 그 사람의 호불호와 평가 기준을 잣대로 우리 역시 그 사람을 평가하고 판단한다. 나아가서는 취향이 비슷한 사람끼리 모여 사적인 모임을 만들고, 어울리지 못하는 사람들을 배척하기도 한다. 취향과 기호를 '수준'이라는 말로 빗대어 등급을 나누고 무리를 구별 짓는 것이다. 실로 무의미한 기준이다. 지금은 사회 계급에 따라 접근할 수 있는 지식과 문화적 향유가 달랐던 20세기가 아니다. 교양과 취향의 경계가 신분에 따라 나뉠 일은 없다. 무엇보다 우리의 취향은 매번 달라진다. 시대의 흐름과 안목의 성장, 개인의 여건에 따라 변화할 수 있는 것이므로, 단순히 몇 가지의 취향만으로 한 인간을 손쉽게 정의할 수 없는 것이다.

우리는 개인의 취향이 존중받는 개성시대를 살고 있다. 이때 취향과 개성이란 무엇인가. 취향의 사전적 의미는 '하고 싶은 마음이 생기는 방향, 또는 그런 경향'이며, 개성은 '다른 사람이나 개체와 구별되는 고유의 특성'이라는 뜻이다. 의미를 뜯어보면, 취향이 굳어지면 개성이 될 수 있지만 개성의 전신이 되는 취향은 마음에 따라 어느 때나 달라진다는 것을 알 수 있다. 무엇이든 처음엔 만족스럽지 않았지만, 시간이 흐르다 보면 경험이 쌓이고 익숙해져 좋아하게 되는 경우가 있다. 예전엔 싫어했던 노래가 갑작스러운 어떤 사건을 계기로 가장 소중한 애창곡이 되기도 한다. 취향에 대해 말할 수 있는 제일 확실한 한 가지는 '앞으로 변할 수 있다는 것'이다. 취향은 반드시 변한다.

지금 나는 낯선 카페에서 빛이 가장 많이 들어오는 통유리창 앞 테이블에 앉아 글을 쓰고 있다. 뜨겁지도 그리 차갑지도 않은 미지근한 온도의 커피는 그다지 마음에 들지 않지만, 여기저기 묵은 때가 있는 나무 테이블과 사장 내외 부부의 선곡 센스는 내 취향을 저격했다. 나의 취향에 그리고 당신의 취향에 경계를 두지 말자. 마음이 흘러가는 대로 두다 보면, 좋았던 것과 싫었던 것이 서로 뒤바뀌는 경우도 생긴다. 그에 따라 삶의 나침반이 회전하면서 예상치 못한 즐거움을 맞닥뜨릴 수도 있다. 삼십 대에 이르러서야, 여름과 첫사랑에 빠진 나처럼.

단어와 품위의 상관관계

어릴 때부터 새로운 단어를 보면 눈이 반짝였다. 아무리 낯선 단어라도 한번 마음을 사로잡으면 반드시 내 것으로 만들고 싶은 욕심이 생겼다. 단순히 그럴듯한, 사전적으로 어려울 것 같은 의미의 단어에만 꽂힌 것은 아니다. 꼭 고급스럽지 않더라도 상황에 맞게, 도의에 맞게 혹은 상대방을 배려하는 따뜻한 단어를 구사하는 사람을 만나면 그렇게 멋져 보일 수가 없었다. 그 혹은 그녀의 어투를 닮고 싶었다. 몰랐던 단어를 새롭게 체득하고 직접 내뱉어보는 연습을 하다 보면, 새로운 지식을 알게 된 것 이상의 쾌감을 느끼곤 했다.

가장 좋아하는 단어를 꼽으라면, 하나의 음절에 두어 가지 이상의 뜻을 함께 내포하고 있는 단어다. 모름지기 영화의 주인공조차도 팔색조의 매력을 지닌 인물이 더 사랑받지 않는가. 최근 들어 입가에 맴돌았던 단어는 '연연하다'이다. 순간순간에 집착하고 미련을 가지려는 내 모습을 투영해서 그런가, 유독 더 애착이 간다. 혹은 이 단어와 사랑에 빠진 순간부터 '연연하다'에 연연하게 된 걸지도 모르겠다. "한때 은은하고 맑은 듯한 '연연한' 아름다움을 가진 사람으로 자라나길 바랐던 어떤 이가 고향의 그리움에 '연연하며', '연연한' 마을 어귀 어딘가를 걷고 있다."라고 문장을 적어봤을 땐 스스로 감탄을 금치 못했다. 단어 하나로 이렇게 많은 것들을 묘사하고 표현할 수 있다니. 어쩜 이렇게 효율적일 수 있을까.

뜻을 알 수 없는 신조어, 빠르게 휘발되고 마는 시대의 트렌드 용어들도 분명한 의의가 있다. 시대를 대변하는 단어로서도, 정적을 깨는 가벼운 이야깃거리로도 충분한 의미가 있는 것이다. 다만, 이런 단어엔 감정과 사유가 담기지 않는다는 점이 아쉽다. '밈(Meme)', '갓생(God+生)'과 같은 낱말을 사용할 때 깊은 사고와 사색이 필요할까. 내가 말하는 단어의 매력과 귀중함은 이를 두고 말하는 것이 아니다.

시의적절하게 쓰인 한 기사 속 키워드는 사람들에게 명확한 정보를 전달하고, 시인이 심혈을 골라 선택한 표현 하나는 많은 이들의 심금을 울린다. 연인의 달콤한 말도, 엄마의 진득한 잔소리도, 모두 아름다운 낱말 모음을 통해 전해진다. 그래서 단어란 인간의 오랜 철학과 인습에 기반한다. 벤치에 홀로 앉아있는 사람을 보며, 누군가는 '사색'을, 또 다른 누군가는 '고뇌'를 떠올린다. 조금 과장을 덧붙이자면 '사색'을 떠올린 자는 어떤 것에 대하여 깊이 생각하고 이치를 따질 줄 아는 사람이며, '고뇌'를 연상한 자는 온 마음으로 번뇌해 본 사람일 테다. 단어 하나엔 생각보다 많은 의미들이 내포되어 있기에, 이를 고를 땐 많은 사유와 궁리가 필요하다. 일말의 고민 없이 떠오르는 대로 실언을 뱉는 이들은 도저히 알 수 없는 세계다.

'삼사일언(三思一言)'이라는 옛말이 있다. 말하기 전에 적어도 세 번 이상 숙고하라는 뜻으로, 말 한마디의 소중함을 강조하고 있다. 무례하거나 모욕적인 언어는 상대방에게 불쾌함을 주는 것은 물론 대화를 단절시키고 관계를 망가뜨린다. 반면, 예의와 존중이 반영된 언행은 가치 있는 대화의 윤활유가 되고 상호 이해와 협력을 촉진한다. 또 품위 있는 단어의 선택은 더욱 윤택한 관계를 만든다. 선순환이다. 좋은 단어는 좋은 문장을 완성하고, 그 문장들의 모임은 한 사람의 뛰어난 언변이 되며, 그런 사람들이 나눈 질 높은 대화가 결국 기품 있는 사회를 만든다.

이왕이면 좋은 어휘를 골라 사용해 보자. 단어를 모아 품을 만들고 격을 완성하자. 잘 고른 단어는 어떤 값의 품위 유지비보다도 그 사람의 품격을 드높인다. 입술 끝에서 나오는 모든 단어가 이내 곧 당신의 고결한 성품을 투영할 것이다.

월요일엔 꽃을 사세요

월요병은 신조어다. 미국 온라인 백과사전, 『위키피디아』에 따르면 '월요병'은 한 주의 시작, 월요일 아침에 유독 피곤한 상태를 말한다. 월요일부터 금요일까지 주 5일 근무를 지속하고 주말에 쉬는 패턴을 가진 직장인이나 학생들에게서 주로 나타나는 증상이다. 우리는 일주일에 한 번, 한 달이면 네 번, 일 년이면 약 오십 번의 월요병을 앓는다. 대표적인 증상으로는 짜증과 무기력증, 우울감 등이 있다. 뒤숭숭한 마음은 일요일 저녁, 아니 오후부터 시작된다. 출근할 생각 자체에 한숨이 푹푹 밀려 나오는 것은 기본, 심할 경우엔 콩닥거리는 심장 소리에 미처 잠을 못 이루기도 한다. 과학적인 근거는 없지만 일요일 자정부터 월요일 아침까지의 잠이 일주일 중 가장 낮은 수면의 질을 자랑한다는 데 많은 이들이 공감할 것이다. 나 역시 운명적으로 반복되는 월요병을 이겨내지 못한 사람으로서 일요일 아침부터 엄습하는 공포는 늘 피할 길이 없었다.

그저 '두려운' 느낌에서 그치는 것이 아니다. 돌아오는 월요일마다 육체적 혹은 정신적 피로를 느끼는 증상, 즉 월요병이 실재한다는 연구 결과도 있다. 아일랜드 왕립 외과 대학 연구진은 영국 심장 혈관학회(BSC) 회의에서 2013년부터 2018년까지 심근경색증 유형의 환자를 조사한 결과, 심장 마비 발생 위험이 유독 월요일에 높다는 사실을 확인했다. 가천대 길병원 연구팀 역시 요일에 따른 사망률을 분석한 결과, 자살에 의한 사망 빈도가 14.9%로 월요일이 가장 높다는 것을 발견했다. 이로써 요일과 심리적 긴장감의 상관관계를 부인하기는 어렵다. 매주 필연적으로 찾아오는 월요일인데 얼마나 거북하고 괴로우면, 월요일과 연관된 검색어로 '월요병 극복기', '월요병 퇴치 방법' 등의 글이 넘쳐날까. 우습게도 월요병을 앓고 있는 이들에 대한 조언과 위로는 넘쳐나지만, 평범한 직장인 중 월요병을 말끔히 물리쳤다는 사람은 단 한 번도 본 적이 없다.

현대인 대부분은 과다한 업무와 개인적인 용무의 반복으로 평일 내내 수면 부족에 시달리며, 이에 대한 보상으로 주말에 한꺼번에 잠을 몰아 잔다. 이틀간의 휴식을 통해 약 5일간의 고초를 겪은 자신을 위로하고 한 주를 최대한 균형 있게 마무리하려는 것이다. 그러고는 다시금 시작될 월요일에 공포감을 느낀다. 짧은 쉼이 충분하지 않았다는 생각과 또다시 되풀이될 일상이 진저리 치게 지겨운 것이다. 혹여 월요일은 잘 견뎌낸다고 해도 4일의 근무일이 남아있다는 사실은 큰 부담이다. 예상되는 고난에 비해 주어지는 보상이 없는 것이다.

그러던 중 특별한 것 없던 여느 월요일 퇴근길, 지하철역 근처 꽃집에서 프리지아 한 다발을 안고 걸어가는 여성과 마주쳤다. 무슨 연유인지는 모르겠지만, 꽃을 사는 여성의 표정은 노란색 꽃잎만큼이나 환하고 밝아 보였고 내 발길도 자연스럽게 꽃집으로 향하게 했다. 이내 달덩이처럼 덩실덩실 피어난 거베라 한 송이와 유칼립투스를 포장해 나왔고, 오랜만에 느낀 싱그러움 탓인지 은은한 향기 탓인지 자꾸만 피어오르는 웃음을 숨길 수 없었다. 고작 몇 송이 안 되는 꽃들이 지옥 같은 월요일은 보낸 내게 스스로 하사하는 월계관처럼 느껴졌다. 소중히 안고 온 꽃을 화병에 담고는, 매주 예상하지 못한 꽃을 선물 받는 월요일이란 얼마나 낭만적일지에 대해 생각했다. 비록 월요일의 출근길은 고되더라도 한 주의 시작은 제법 기다려지지 않을까.

2021년 빅인사이트 기업이 발표한 '이커머스 트렌드 리포트'에 따르면 주중 온라인 쇼핑 건수가 가장 높았던 시간대는 월요일 오전 10시였다. 모든 요일의 동시간 평균 구매 수 대비 무려 78.63%가 더 높은 건수였다. 업계 전문가는 이를 두고 많은 사람이 소비를 통해 월요일의 스트레스를 해소하려 하는 것이라고 해석한다. 무계획적인 소비로, 월요일의 시작을 견딘 자신에게 특별한 보상을 주려는 양상이다. 더 노련한 자라면 월요일 아침에 택배가 도착하도록 배송 일정을 지정해, 더 즐거운 월요일 아침을 만들고 있을지도 모른다.

꽃 한 송이와 온라인 쇼핑이 가리키는 의미는 단순하다. 보상 심리다. 인간은 일정한 행동을 취하면 반드시 그에 부합하는 대가를 기대한다. 보상 심리는 실제 심리학적으로는 인지 부조화에 가까운 자기 합리화에 불과하며, 대게는 부정적인 의미로 작용하는 경우가 많다. 한데 이를 올바르고 건설적인 방향으로 표출한다면 더 나은 자신을 만드는 원동력으로 삼을 수 있다. 마치 꽃 한 송이의 보상으로 한사코 무서워했던 월요일의 부담을 덜어낸 것처럼. 가장 이상적인 해결책은 월요일 연차 또는 퇴사가 답이겠지만, 결코 피할 수 없을 땐 현실적인 심리 기제를 활용해 보자. 누군가에겐 가장 먹고 싶었던 음식이 될 수도, 보고 싶었던 영화가 될 수도 있다. 월요일이 마냥 버겁게 느껴진다면 그 과중한 무게만큼 본인에게 후한 상을 내려보자. 뇌를 속여가며 월요병 자체를 지울 수는 없겠지만 월요일 중 어떤 시간대만큼은 한 주중 가장 기다려지는 순간으로 만들 수 있지 않을까. 돌아오는 월요일엔 나를 위한 꽃 한 송이를 사보자.

사람 냄새 없는 지구촌

이상하게도 엘리베이터는 온전히 혼자만 있고 싶은 공간이다. 허용할 수 있는 최대치의 범위는 기껏해야 가족 정도. 출입구에서부터 누군가 바쁘게 걸어오는 소리가 들려오면 할 수 있는 모든 촉각을 곤두세워 보이지 않는 거리를 잰다. 걸음이 꽤 멀리 떨어진 것으로 추정된다면 재빠르게 '닫힘' 버튼을 누른다. 아쉽게도 일정 부분 가까워졌다면 '열림' 버튼을 눌러주는 작은 배려를 실천한다. 부득이 태우게 된 두 번째 손님이 감사의 의미를 담아 짧게 목 인사를 건넨다. 나 역시 같은 몸짓으로 답하고는, 시선을 피하며 기어코 혼자 타고 싶었던 아쉬운 마음을 달랜다. 층수를 알리는 기계음을 제외하고는 어떤 소리도 들리지 않는다. 우리 이웃들은 언젠가부터 사회적 약속이라도 한 것처럼 엘리베이터 안에서 침묵을 지킨다. 서로를 알은체하지 않는 것이 어느새 당연해졌다.

예전엔 이웃 간에 정다움이 있었다. 어릴 적엔 새로 이사한 동네 집집이 들려 시루떡을 돌렸었다. 동네 아주머니와 할머니들은 어린아이를 셋 키우는 젊은 새댁이 들어왔다는 소식에 삼삼오오 집 앞에 모여 인사를 건넸다. 오르막길 위에 자리하던 공판장 사장님은 우리 세 남매가 지나갈 때마다 작은 과자나 사탕 따위를 손에 들려줬다. 엄마는 한사코 손사래를 치며 값을 내려 했지만, 사장님은 늘 인심 좋은 미소로 거절했다. 한 사람을 거저 주려 한 사람은 무조건 받지 않으려

하는 모양새가 우스꽝스러웠지만 참으로 인간적으로 보이기도 했다. 엄마가 아플 때면 골목 끝 쪽 이층집에 살던 아주머니가 쓰러진 엄마를 보살피고 하교한 우리를 챙겼다. 엄마의 이마에는 물수건을 올리면서, 돌아서서 간식거리를 건네던 아주머니의 말간 얼굴이 아직도 생각이 난다. 원체 사교적이지 않았던 엄마의 성격 탓에 이웃집을 오고 가며 추억을 쌓을 일이 많지는 않았지만, 매일 저녁밥 짓는 내음이 퍼졌던 그 작은 동네는 따끈한 정을 담뿍 품고 있었다.

20여 년의 세월이 흘렀다. 2000년대 60억 명이었던 세계 인구수는 어느덧 80억 명으로 증가했다. 좁은 한반도 땅에는 이제 무려 5천만 명 이상의 인구가 모여 있다. 『2022 한국의 사회지표』에 따르면 2022년 서울, 인천, 경기 지역의 인구는 전체 인구의 50%를 넘어섰다고 한다. 국내 전체 인구의 절반 이상이 수도권 지역에 거주하고 있다. 비좁은 땅에 인구가 과밀하게 집중되어 있으니 우리 이웃 간의 물리적 거리가 얼마나 가까워졌는지는 굳이 따지지 않아도 미루어 짐작할 수 있다. 더구나 지상의 주택만으로는 감당할 수 없어 대규모로 공급된 아파트 덕분에 우리는 대문을 열고 담장을 돌아 나가는 수고로움 없이 현관문만 열면 이웃과 마주할 수 있는 시대를 살게 됐다. 마음의 거리는 두터웠지만 몸은 드문드문 떨어져 있었던 과거와 달리, 마음만 먹으면 이웃과 손잡을 기회가 생겼다.

그렇다면 당신은 옆집, 아랫집 윗집에 살고 있는 누군가를 잘 알고 있는가. 여차하면 만날 수 있는 거리임에도 불구하고 정확한 생김새를 그릴 수 있는 사람은 많지 않다. 옆집의 이름 모를 아주머니보다는 SNS의 랜선 이웃에게 더 친근감을 느끼는 사람도 적지 않을 것이다. 엘리베이터에서는 최대한 이웃을 마주치지 않으려 애쓰고, SNS에서는 최대한 많은 이웃(팔로워)을 만나려 애쓴다. 때로는 연탄 나르기, 기부하기 등의 특별한 활동을 통해 이웃 간의 온정을 '체험'하려고 노력한다. 어떤 경우에는 아랫집 할아버지의 고독사는 눈치채지 못하고, 머나먼 아프리카 아이의 구원에 관심을 기울이는 웃지 못할 해프닝이 생기기도 한다. 분명 현실 속에 존재했던 이웃과의 소통은 고스란히 가상 세계로 옮겨갔고, 이웃 간의 교류는 우리의 일상이 아닌 '찾아서 경험'해야만 하는 이벤트로 변질됐다.

'지구촌'이라는 말이 있다. 교통, 통신, 기술의 발달로 세계 전체가 하나의 마을처럼 가까워진 것을 일컫는다. 마을은 여러 집이 모여 사는 곳이다. 즉 여러 채의 집과 사람이 기본 단위가 된다. 기후 변화로 자꾸만 작아지는 땅덩어리에 사람은 배로 늘어나 지구촌 마을은 한층 비대해졌다. 그런데 이상하게도 좀처럼 사람 냄새가 나지 않는다. 또 사람 사는 세상에 사람 냄새가 나지 않는 걸 누구도 이상하게 생각하지 않는다. 요즘 자라나는 지구촌 아이들은 세계가 하나란 건 알지만 이웃이 무엇인지는 명확히 이해하지 못한다. 세계 시민의 안위는 걱정하지만, 이웃의 안부를 물을 줄은 모른다. 국가 간의 융합이 강조되는 가운데, 정작 우리 공동체의 화합은 배제된 것이 아닌가 싶다.

누군가 함께 타지 않은 엘리베이터에 안심하는 내 모습에서 괜스레 쓸쓸함을 느낀다. 그리 늦지 않은 때에 우리가 알고 있던 이웃의 개념은 역사 속으로 사라질지도 모르겠다.

글의 품격

말보다 글이 매력적이라고 믿는다. 말은 강단 있게 나를 규정할 수 있는 기회를 주지만, 글은 보다 섬세하게 나를 탐색할 수 있는 시간을 준다. 말은 빠르게 뱉어낼 수 있는 만큼 전달력이 풍부하고 즉각적이지만, 지나치게 즉흥적인지라 뒤늦은 반성과 책임이 뒤따르고는 한다. 옛 설화 속 '세치 혀'라는 말이 괜히 있는 게 아니다. 반면 글은 속도가 더디다. 한 글자, 한 문장, 한 단락을 써 내려가는 동안은 숨을 고르고 다시 쓰고 다시 숨을 고르는 작업을 반복해야 한다. 이 느림의 미학엔 수많은 사유가 포함되어 있기에 대부분 글은 말보다 신중하다. 같은 감정을 표현하더라도 말에는 주관성이 담기고, 글에는 객관성이 더해진다. 말을 통한다면 시간에 쫓겨 생각을 전달하는 과정에서 감정이 더 격양되지만, 글로 풀어낸다면 되려 힘을 빼고 감정을 헤아리게 되는 것이다. 느슨한 과정이 곧 글의 장점이다.

옛사람들은 글의 가치를 누구보다 잘 알고 있었다. 활자의 개발과 인쇄술의 발전 이후, 사람들은 마음을 전하기 위해 편지를 나눴고 오랜 시간 동안 개인의 삶 또는 역사 전반을 기록했다. 17세기 연애편지를 보내는 문화가 발달하지 않았다면, 괴테의 『젊은 베르테르의 슬픔』과 같은 희대의 명작은 세상에 나올 수 없었을 것이다. 우리나라의 모습도 별반 다르지 않았다. 휴대폰은 고사하고 전화가 많이 보급되지 않았던 몇십 년 전까지만 해도 편지는 독보적인 통신 수단이자

가장 낭만적인 고백 방법이었다. 온갖 미사여구를 녹여 낸 연애편지는 청춘 남녀에게 절대적인 사랑의 메신저 역할을 했다. 한국의 대표 로맨스 영화 〈클래식〉의 첫 장면도 딸이 엄마의 연애편지를 읽으면서부터 시작되지 않는가. 이전 세대의 감정과 생각이 다음 세대에게 온전히 전달될 수 있는 불변의 속성은 글의 또 다른 강점 중 하나다.

그런데 글에 어느샌가 속도가 따라붙기 시작했다. 스마트폰의 보급과 함께 텍스트는 이모티콘, 이미지와 같이 생각을 표현할 수 있는 여러 요소 중 하나로 여겨지게 됐다. 붓에서 연필, 연필에서 펜으로 꾹꾹 눌러 완성됐던 글이, 키보드의 자판을 통해 혹은 스마트폰의 화면을 타고 톡톡 소비되어 버렸다. 모든 글이 순식간에 오고 가며 마치 말 한마디처럼 충동적으로 소모됐다. 우리도 모르는 새 카카오톡에서 나눈 메시지는 '대화'라고 인식되기 시작했다. 비단 길고 짧은 길이의 문제가 아니다. 옛 조상들은 짧은 운문이나 서신 하나에도 정성을 담아냈었다. 지금은 카카오톡 메시지 한 통으로, "우리 사귈래?"라는 텍스트 한 마디를 보내면 그만이다. 이제 짝사랑으로 애를 태우며 밤새 편지를 썼다가 지우기를 반복하고, 빨간 우체통 앞에서 온종일 망설였던 청춘 남녀는 없다. 빠르게 쓰였다 연이어 사라지기를 반복하며, 현대의 글은 조심스럽기보다 경솔해졌고 오래도록 기록되기보다 짧은 시간 내 소진되어 버렸다.

유독 요즘에 이르러 글의 속성이 변하게 된 이유는 무엇일까. 근원적으로는 종이 위에 펜대를 놓고 활자를 직접 쓰지 않게 되면서 그 의미가 퇴색된 게 아닌가 싶다. 그건 현대인의 잘못만도 아닌 것이 전자기기의 보급과 함께 속도가 중요한 세상이 도래하며 글의 성질도 변화한 것이기 때문이다. 다만 글이 오고 가는데 통찰과 사유가 사라지면서 글을 쓰는 행위 자체의 미학과 본질이 손상됐다. 우리는 거침없이 쓰고 더 이상 깊이 판단하지 않는다.

가상 공간에서 일어나는 텍스트에 관한 이슈 중 빠지지 않는 것 중 하나는 악플이다. 악플은 보통 적당한 관심과 가십에 대한 관음에서 시작되며 맹목적인 악의는 없다. 중요한 건 악플러 대부분이 익명성 뒤에 숨어 숨 쉬듯 가볍게 댓글을 작성한다는 것이다. 또 악플은 청자에 대한 배려가 없는 오로지 화자의 일방적인 감정 고백이다. 비겁하고도 치졸한 글의 조각들은 비수가 되어 한 사람의 인생을 망치기까지 한다. 오랜 시간 공을 들여 신중하게 지적하는 악플은 세상 어디에도 없다(그건 건전한 비판으로 보는 것이 맞다). 알맹이가 빈 채로 소모되는 글의 전형적인 예다.

우리는 말과는 다른 글의 속성을 다시금 이해하고 근본을 돌아봐야 한다. 글이란 본디 생각이나 일 따위의 내용을 글자로 나타낸 기록이다. 우리는 무언가를 작성하기 전에 반드시 두루 생각하고 고민해야 한다. 안타깝게도 글쓰기는 급히 갈 수 없다. 인내심을 가지고 오래도록 소화해야 한다. 어떠한 편법도 없이 글자 하나하나를 눌러써 내려

가며 마침표를 찍었을 때, 그 글에는 기록 이상의 가치가 더해진다. 문명의 이기와 맞물려 글이 자꾸만 본래의 '품격'을 잃어가는 것이 아쉽다. 세상이 아무리 바뀌어도 휘갈겨 쓴 텍스트 쪼가리에 작자의 숨결이 붙을 수는 없다. 글을 쓰는 그리고 글이 주는 깊은 여운을 아는 자가 부디 많아져 우리네 글이 여러 형태로 길이길이 빛나길 바라본다.

당연한 것들이 당연시되려면

한 여자의 행동이 한동안 커뮤니티를 뜨겁게 달궜다. '새로운 광역버스 민폐녀'라는 제목으로 올라온 글에는 퇴근길 광역버스에서 본인 옆의 빈 좌석에 짐을 올려놓고는 끝내 자리를 비켜주지 않은 여성의 이야기가 담겨 있었다. 문제의 여성은 자리에 앉은 후 자신의 짐을 바로 옆 좌석에 쌓아놓았다. 당연히 해당 빈자리는 잔여 좌석으로 남아있었고, 한 남자 승객이 마지막 탑승자가 되어 그 자리에 앉아야 했던 상황이었다. 2022년부터 부활한 광역버스 입석 금지 제도 탓에 짐을 치워주지 않으면 남성은 버스를 이용할 수 없었다. 이에 당연히 짐을 옮기고 자리를 마련해 달라고 요구했다. 황당한 사건은 그 이후로 벌어졌다. 여성이 너무나 무겁고 많은 물건 때문에 자리를 비켜줄 수 없다고 대응한 것이다. 남자 승객이 당혹스러워하며 직접 짐을 치우려고 하자 경찰을 운운하며 개인 사유의 짐에 손대지 말라는 엄포가 이어졌다. 계속되는 대치 상황에 신호가 걸린 틈을 타 기사가 직접 자리에 찾아가 짐을 옮겨 달라고 요청했다. 그러자 여자 승객은 자리가 없으면 사람을 태우지 말았어야 한다며 적반하장으로 분노했다. 보다 못한 주변 이들까지 나서 여성 승객을 비난했지만 그녀는 끝내 짐을 치우지 않았고, 이미 버스에 탑승해 버린 남성 승객은 위험을 감수하고 뒷자리 계단에 쪼그려 앉아갔다고 한다. 해당 커뮤니티 글은 삽시간에 퍼져갔고, '광역버스 민폐녀 논란'이라는 뉴스 기사까지 등장하며 세상에 공론화됐다. 우리가 당연하게 생각했던 사회적 약속들이 준수되지 않은 전형적인 경우다. 도대체 왜 그녀는 이런 비상식적인 태도를 일관했을까.

　개인의 이기적인 성향을 단편적으로 서술할 수는 없지만, 아마도 그녀는 사회적 지능이 부족했을 가능성이 높다. 사회적 지능이란 일상생활에서 자기 혹은 타인의 감정과 사고를 이해하고, 이를 바탕으로 행동할 수 있는 능력을 일컫는다. 타인의 일시적인 기분이나 성격을 받아들이는 통찰력을 넘어, 사회 안에서 타인과 잘 어울려 지낼 수 있는 역량과 집단 내 구성원으로서 건설적인 역할을 해내는 것을 포함하고 있다. 사회적 지능이 높은 사람들은 대개 타인의 상황을 공감하고 배려하는데 능하다. 상대방으로부터의 자극에 민감하기 때문에 피해나 불편을 끼치지 않으려 하며 사회적 책임을 다하고 규범을 지키기 위해 애쓴다. 사회 구성원으로서 마땅히 지켜야 할 도의를 다하는 것이다. 그런데 세상에는 '광역버스의 민폐녀'처럼 그 도리를 무시하는 사람들이 더러 있다. 이에 제도나 법규범에 의한 통제가 늘어나고 있다. 모름지기 지켜야 할 것들이 지켜지지 않자, 강제성을 띤 새로운 규칙이 생겨나는 것이다.

　지하철 좌석 끝에 배치된 분홍색의 임산부 배려석도 이 중 하나다. 임산부 배려석은 2013년 서울시가 임산부의 원활한 지하철 이용을 위해 도입한 이래, 10여 년 후인 지금까지도 안정적으로 자리 잡지 못하고 좌석 비워두기 논쟁 등 여러 사회적 갈등을 초래하고 있다.

"임산부 배려석은 말 그대로 '배려석'이기에 누구나 앉았다가 양보를 할 수 있는 자리"라는 의견과 "취지에 맞게 임산부가 마음 편하게 앉도록 미리 비워 둬야 한다"는 입장으로 갑론을박이 이어지고 있는 것이다. 또 제도 운용의 혜택을 누려야 할 임산부들도 정작 이용이 쉽지 않다는 불편을 토로하고 있다. 일반인 승객이 이미 자리를 차지한 경우 스마트폰 삼매경에 빠져 자신들의 존재를 인지하지 못하는 경우가 다반사이고, 또 무작정 자리를 내주지 않는 경우 선뜻 먼저 비켜 달라고 말하기 쉽지 않다는 것이다. 해당 배려석에 일반인이 앉아있다는 민원이 매년 7천 건을 넘는다는 것을 보면, 많은 사람이 제도의 의미와 효용에 크게 공감하지 못한다는 사실을 알 수 있다. 당연시되어야 할 사회적 약자에 대한 배려가 억지로 제도화되면서 오히려 사회적 혼란을 야기한 사례다.

그런가 하면 반려동물의 배변을 모르는 체하는 개 주인들도 문제가 되고 있다. 특히 새벽이나 저녁, 사람들이 지나가지 않은 인도나 공원의 구석진 곳에 용변을 보게 하고는 몰래 자리를 피하는 것이다. 시민들은 커뮤니티를 통해 성숙하지 못한 일부 애견인의 태도를 성토하며 펫티켓 문화의 정착을 부르짖고 있으나, 여전히 피해 사례는 속출 중이다. 이에 지방자치단체에서는 과태료 부과 카드를 내밀었으나 그마저도 단속이 되지 않아 그 피해가 이웃들에게 고스란히 돌아가는 상황이다. 혹 미수거된 배설물을 발견한다 해도 그 반려견의 주인을 역추적하기는 어렵다고 한다. 개인정보 보호법상 지방자치단체가 CCTV를 직접 열람할 수 있는 경우는 극히 제한적이기 때문이다. 관련 민원이 접수된다고 하더라도 담당 공무원이 직접 가서 배설물을 치울 뿐 본질적인 문제 해결은 어려운 실정이다.

새로운 규칙들의 등장은 성숙하지 못한 공중도덕에서 비롯됐다. 사람이 앉아야 할 좌석에 짐을 올리지 않는 것, 몸이 무거운 임산부를 배려해 자리를 내주는 것과 내 반려견의 배설물을 치우는 것은 우리가 사회 구성원으로서 으레 해야 할 일들이다. 그러나 일부 사람들이 마땅히 해야 할 도리를 다하지 않자, 제도가 생겨났고 단속이 시작됐다. 당연한 것들이 당연시되지 않자, 국가의 강제력을 수반하는 사회 규범이 만들어진 것이다. 마음에서 우러나온 것이 아닌 규제와 관리를 통해 억지로 형성된 배려 문화는 부끄러워해야 마땅하다. 관리 감독이나 규칙을 따르기 이전에 이러한 것들이 생기게 된 이유를 통감하고 스스로 사회 구성원의 자격이 부족하지 않은지 돌아봐야 한다. 시민의식의 자발적 고양이 아닌 정부가 만든 장치에 기대기 시작한다면 온전히 성숙한 사회를 만나기는 어렵다. 과거에는 '바른 생활', '슬기로운 생활'이라는 이름의 교과 과정이 있었다. 도덕이나 윤리 같은 실리적인 규범을 배우기 이전 저학년생들이 균형, 공동체 의식, 삶의 가치 등을 내재화할 수 있도록 돕는 교과목이다. 요즘의 우리를 돌아보면, '조화로운 생활'이라는 새로운 커리큘럼이 필요한 듯싶다. 다시금 유대감의 중요성을 깨우쳐야 한다. 인간을 인간답게 만드는 것이 무엇인지, 혼자가 아닌 더불어 살기 위해 어떤 가치를 지향해야 하는지 돌아봐야 한다. 지금 당장 함께 살기 위한 에티켓 지키기에 관심을 기울이지 않는다면, 머지않아 광역버스 내 옆자리에 짐을 올려놓는 순간 과태료가 부과되는 새로운 제도가 도입될지도 모른다.

얄미운 박쥐 이야기

〈이솝우화〉엔 길짐승과 날짐승 사이의 싸움에서 이쪽에 붙었다 저쪽에 붙었다 결국 어느 쪽에도 신뢰를 얻지 못한 박쥐가 등장한다. 비겁한 박쥐는 길짐승이 우세할 것 같을 때는 그들을 적극 응원하다가, 날짐승들이 왕성하게 전투에 임하자 이내 곧 그 편에 가담한다. 뚜렷한 소신 없이 상황에 휩쓸려 자꾸만 양다리를 걸치자 결국 모든 동물들에게서 배척당했다는 기구한 운명의 박쥐 이야기다.

그런데 각종 이슈가 뜨거운 감자로 떠오를 때마다 이쪽저쪽을 왔다 갔다 하며 여론을 형성하는 우리네 모습이 꼭 우화 속 '박쥐'와 같다. 최근 특수학급 교사의 아동학대 신고 논란만 들여다봐도 그렇다. 성공 가도를 달리던 인기 웹툰 작가의 자녀가 피해를 본 사건으로, 세간의 관심이 그의 진실성과 특수교사의 위법성 여부에 쏠렸다. 해당 이슈가 수면 위로 떠오르기 전까지만 해도 그는 엄청난 인기와 함께 왕성하게 활동하고 있었다. 명성을 떨쳤던 만큼 고소인과 사건에 대한 관심은 급속도로 커졌고, 당시 국민들의 공분을 샀던 초등학교 교사 사망 사건과 맞물리면서 유명 웹툰 작가는 한순간에 교권을 침해하는 '갑질 부모'로 전락했다. 워낙 부드럽고 무던한 성격의 소유자로 사랑을 받았었기에 사건 발발 직후 팬들은 큰 배신감을 느꼈고 대중 역시 냉랭한 반응을 이어갔다. 그가 제시한 녹음 파일 증거에도 증거 능력 보유 여부에 대한 논란이 따라붙으며 여론은 더욱 부정적인 방향으로 흘러갔다. 장장 6개월의 시간이 흘러 결국 법원은 특수교사에게 유죄를 선고하며 웹툰 작가의 손을 들어줬다. 1심 판결이 나온 후 그는 라이브 방송을 통해 그간의 심경을 눈물로 토로했다. 상황 악화로 극단적인 선택까지 생각했다는 그의 고백에 많은 팬들이 함께 울었고 진심 어린 동정과 응원을 보냈다. 나 역시 그가 허심탄회하게 풀어놓는 이야기를 들으며, 그에 대한 연민과 세태에 대한 안타까움을 느꼈다. 재판 결과가 나오기까지 잠자코 기다리지 못하고 이쪽저쪽에 붙어 공격을 자행했던 대중의 마녀사냥과 무분별한 여론몰이가 참혹하게 느껴졌다. 맹목적으로 교권 보호만을 부르짖는 교육부부터 실질적인 손해를 끼친 특수교사, 악의적인 기사를 쏟아내는 기자들까지 그가 싸워야 할 상대는 무수했지만, 가장 큰 적은 지지하는 듯했다가 보란 듯이 돌을 던졌던 이중적인 태도의 군중이 아니었을까 싶다. 그에 대한 평판 하락이나 잘못된 사실을 공론화하는 언론은 차치하고, 번갯불에 콩 구워 먹듯 바뀌는 여론 자체에 큰 상처를 느꼈을 것이 분명했다. 이슈가 국민적 관심으로 눈덩이처럼 불어나기까지 나 또한 그의 잘못으로 대강 짐작했던 것이 새삼 부끄러웠다.

극단적인 여론 전환의 사례는 이외에도 적지 않다. 기대에 못 미치는 경기력을 보여준 한 축구 선수에게 빗발쳤던 힐난과 비난의 목소리도 이와 비슷했다. 지난 국제 경기에서 승리의 주역으로 손꼽힌 해당 선수는 매력적인 외모와 신체 조건으로 뭇 여성들의 사랑을 한 몸에 받으며 빠르게 스타 선수로 자리매김했다. 그러나 최근 경기에서 보여준 그의 모습은 대중의 공분을 샀고, 타 선수와 실력 비교부터 외모에 대한 지적까지 도 넘은 악플들이 쏟아져 나왔다. 스포츠 경기라는 것이 워낙 변수가 많고 단순히 선수 개인의 실력만으로 승리를 점칠 수 없는 것인데, 그를 향한 과한 비난 여론이 참으로 씁쓸하게 느껴졌다. 그런데 이런 대중을 비웃기라도 하듯 그는 바로 다음 경기에서 극적인 동점 골을 터뜨리며 또다시 MVP로 등극했고 단숨에 여론의 평가를 뒤집어버렸다. 이에 다시금 그를 옹호하고 격려하는 반응이 속출하는 정황을 보면서, 전형적인 한국인의 냄비 근성을 체감했다. 단 일주일 동안 책망과 칭찬을 동시에 쏟아낸 우리네 모습은 빨리 끓기도 하지만 또 빠르게 식어버리고 마는 양은 냄비 그 자체였다.

우화 속 박쥐와 양은 냄비의 공통점은 두 가지 양면적인 태도를 거의 동시에 취한다는 것이다. 한 개인의 목소리가 아닌 대중의 여론이 박쥐나 양은 냄비로 변하는 순간, 그 대상은 큰 혼란과 고통을 받게 된다. 가끔은 진실이 아닌 이야기들이 지나치게 와전되어 비수를 꽂는 칼날이 되기도 한다. 실제 왔다 갔다 하는 여론의 태도에 큰 상처를 받고 극단적인 선택을 하고 마는 이들도 적지 않다. 우리는 자명해진 결과나 명확한 진실만을 두고 판단해야 하며, 그전까지는 말을 아끼고 신중해야 한다. 섣부른 판단을 경계하고 현재의 모습을 성찰하자. 어쩌면 박쥐 이야기가 담긴 이솝 우화는 지금의 어른들이 다시금 읽어야 할 필독 도서일지도 모른다.

아기와 노인, 노인과 아기

"귀여운 것들이 세상을 구한다."라는 이야기가 있다. 대게는 아기나 동물의 새끼를 보며 하는 말이다. 가만히 바라보고 있으면 더할 나위 없이 곱고 사랑스러워 자꾸만 배시시 미소를 짓게 되는 존재들이다. 이제 갓 태어난 아기들은 엄마와 아빠의 생김새부터 집의 모양, 새로운 언어까지 배워야 할 것들이 많다. 우리 대부분은 이러한 학습의 시간을 아주 오랫동안 기다려준다. 작고 귀여운 존재들이 충분히 익히고 성장할 수 있을 때까지 너그러운 이해심을 베푼다. 그들은 분명 약자이고, 그들이 가진 미숙함은 어쩌면 당연하기 때문이다.

그런데 이런 배려와 보호를 받아야 할 대상이 또 하나 있다. 바로 노인이다. 모든 인간은 한창때를 지나고 나면 쇠퇴와 노숙을 거쳐 노년기에 접어든다. 이때 노인들은 마치 아기처럼 거동이 불편해지고 세상의 변화에 기민하게 반응하지 못하게 된다. 최근 SNS에서 우는 할머니를 태운 택시 기사의 일화가 화제였다. 택시 기사는 "어떤 승객이 길에서 우는 할머니를 태우자고 하더라고. 얼른 모시고는 사연을 물었더니 글쎄 한 시간 동안 택시를 못 잡았다고, 세상에 택시가 이렇게나 많은데 타려고만 하면 예약한 사람이 있다는 거야."라고 말했다. 일부 노인들은 차편을 제때 예약하지 못해 명절을 즐기지 못하고, 열이 펄펄 끓는 손자를 업고도 소아과를 방문하지 못해 절절맨다고 한다. 스마트폰 속 앱을 통하지 않으면 움직일 수도, 밥 먹을 수도,

심지어는 진료조차 받기 어려운 세상이 되었음을 방증하는 이야기다. 바뀐 룰에 적응하지 못하는 자는 새로운 규칙을 배울 시간이나 기회조차 충분히 주어지지 않은 채 기본적인 권리를 박탈당한다.

2022년 한국경제연구원은 한국 사회의 디지털 양극화가 OECD 내 1위라고 밝힌 바 있다. 데이터상으로나 실 정황으로나 곤경에 빠진 노인들을 보며, 키오스크 앞에 선 한 노인의 굼뜬 주문에 나도 모르게 얼굴을 찌푸렸던 과거가 생각났다. 또 아무리 방법을 일러줘도 또다시 묻는 엄마의 질문 폭격에 버럭 짜증을 냈던 기억도 떠올랐다. 나도 모르게 노인의 입장을 경시하고 홀대하고 있었던 것이다. 호주 RMIT 대학의 한 설문조사에 따르면 70대 노인의 과반수가 "가족이 자신에게 디지털 기기 사용법을 알려줄 시간이 없는 것처럼 행동한다."라고 고백했다. 급속도로 변화하고 있는 디지털 환경에서 도태되는 것은 결코 그들의 잘못이 아닌데, 가족에게조차 따뜻한 관심을 받지 못하는 노인들의 현실이 참으로 애통했다.

최문정 카이스트 과학기술정책 대학원 교수는 "노인들에게 디지털 사용은 마치 70~80년 동안 한국어를 쓰다 갑자기 영어를 쓰라고 강요하는 느낌에 버금간다."라고 일침을 놓았다. 왜 우리는 세상 모든 것이 미숙한 아기들에게는 비교적 관대하면서, 많은 변화에 서툰 노인들에게는 박한 것일까. 여러 가지 이유가 있겠지만, 나는 어느새 우리 곁에 뿌리내린 '노인 혐오' 갈등을 떠올렸다. 온라인 커뮤니티만

들여다봐도 도를 넘은 노인 비하와 혐오를 담은 이야기들이 넘쳐난다. 젊은 세대는 이 같은 혐오의 원인을 몇몇 노인들의 막무가내 행동과 일자리 감소, 복지 문제에서 찾는다. 현대사회가 빠르게 변화하는 가운데 노인들이 발맞춰 대응하지 못하면서, 예전처럼 지혜로운 노하우를 전수하는 성인의 역할을 수행하지 못하게 된 점도 한몫할 것이다. 그러나 꼭 노인이 아니더라도, 세대를 막론하고 예의 없고 거부감이 드는 행동을 하는 사람들은 있기 마련이다. 또 일자리 감소나 복지에 대한 과제를 단순히 노인 인구의 증가에서 기인한 것으로 판단하기는 어렵다. 그런데도 젊은이들의 불편과 불만이 노인에게만 겨냥되어, 그들의 삶이 세태에서 자꾸만 소외되고 있다.

노인들도 분명 노력하고 있다. 모바일을 통해 물건을 결제하는 법부터 기차표를 끊는 방법까지 복지관이나 디지털 배움터를 통해 학습하고 있다. 그들에게 디지털 문화에 대한 배움은 성장이 아닌 생존을 위한 것이다. 실제 노인들의 디지털 기기 활용 능력도 꾸준히 향상되고 있다고 한다. 과학기술정보통신부 실태 조사에 따르면 고령층의 디지털 정보화 수준은 2018년 63.1%에서 2021년 69.1%로 매년 조금씩 높아졌다. 그러니 우리도 함께 애를 써야 한다. 우리도 언젠간 나이가 들어 노인이 된다는 사실을 잊지 않아야 한다. 이제 막 걸음마를 떼고 처음 "엄마, 아빠."를 외치기까지 아기들에게 수많은 기회를 주고 기다려주는 것처럼, 온 힘을 다하고 있는 노인들을 오롯이 존중하고 대접해 주어야 한다. 자꾸만 허물어져 가는 몸에 정신을 바로잡기도 어려운 노인들을 동정하고 도움을 베풀어야 한다.

저널리스트 카롤린 엠케는 저서 『혐오사회』를 통해 "혐오와 증오는 느닷없이 폭발하는 것이 아니라 훈련되고 양성된다."라고 말했다. 어떤 대상을 꾸준하게 혐오하고 질타하는 것은 여간 피곤한 일이 아니다. 정부와 사회 전반의 노력 이전에 우리 스스로가 맹목적인 혐오를 함양하고 있는 것은 아닌지 돌아보자. 내 품 안의 아기를 사랑하듯 주변의 노인들을 아껴준다면 크게 어려울 것이 없다.

욜로 vs 갓생

요즘 MZ세대들에게는 '갓생(God+生)'이 대세다. 바쁜 일상에서 보람과 성취를 얻기 위해 성실하게 살아가는 '갓생러'들은 많은 젊은이에게 타의 모범은 물론 선망의 대상이다. 인터넷상에는 '갓생 살기', '갓생 챌린지' 등 부지런한 삶을 살기 위한 수많은 방법이 제시되어 있다. 아침에 일찍 일어나 하루를 시작하는 미라클 모닝, 아껴 써서 재테크에 성공하자는 취지의 무지출 챌린지, 강력한 절제와 자기 통제가 필요한 보디 프로필 도전 등이 연신 화제다. 그만큼 '갓생'은 단순한 유행을 넘어 청춘들의 새로운 삶의 양식으로 자리 잡았다.

불과 몇 년 전까지 주류 트렌드는 일명 '욜로'였다. 'You Only Live Once'의 앞 글자를 딴 용어로 지금 맞닥뜨린 현재의 행복을 중시하는 라이프스타일이다. 미래의 성장을 담보로 현재에 열심히 투자하는 게 '갓생'이라면 '욜로'는 미래를 염두에 두지 않고 오로지 현실을 즐기는 태도다. 2018년부터 2020년 사이 온라인상에서 약 2만 건이 넘는 언급량을 기록할 정도로, 당시 대한민국은 '욜로'의 시대였다. 대부분의 '욜로족'은 내 집 마련이나 노후 준비, 꾸준한 자기 계발보다는 당장의 삶의 만족도를 높일 수 있는 취미생활이나 즉각적인 소비, 여행에 더 많이 투자했다.

그러나 코로나19로 인한 대격변의 시기를 거쳐 많은 외부 활동이

제한되면서 사람들은 조금씩 무기력과 권태, 불안을 느끼기 시작했다. 그러고는 언제 끝날지 모르는 재앙에 대한 초조함이나 불확실함을 잠재우기 위해, 오로지 자신에게 집중하는 시간을 가졌고 스스로 규칙적인 루틴을 만들었다. 이러한 흐름은 현재를 무작정 누리기보다 다가올 미래를 생각해 목표를 설정하고 달성하는 데 매진하는 '갓생 라이프'로 탈바꿈됐다.

나 또한 '갓생'의 삶을 사는데 많은 공을 들이고 있다. 새벽 다섯 시경 기상해 출근했다가 퇴근 후에는 운동하고 글을 쓰거나 동생의 사업을 돕는다. 와중에 시간을 쪼개 지인들과 만나며 친목 활동도 놓치지 않는다. 주말에는 오롯이 남편이나 부모님, 형제들과 함께 시간을 쓰며 가정의 화목에 일조한다. 매 하루, 달마다 일정한 계획을 갖고 성실하게 움직이는 것은 꽤 힘들지만 보람찬 일이다. 현재의 근면 성실만이 행복한 미래를 보장한다는 사실을 믿으며 반복적으로 나를 채찍질하고 격려한다. 몇몇 친구들은 이런 나를 보며 현재의 즐거움은 왜 돌아보지 않느냐고 반문한다. 불확실한 미래를 좇고자 순간의 기쁨을 저버리는 것이 진정으로 자신을 위한 것이냐는 질문이 쏟아진다.

이는 정녕 잘못된 선택인 걸까. '갓생'의 반대말로 여겨지는 '욜로'야말로 가장 빠르고 쉽게 삶의 질을 높이는 방법일까. 나는 이 해답을 〈조승연의 탐구생활〉 채널을 운영하는 조승연 작가의 콘텐츠에서 찾았다. 그의 말에 따르면 각 두 가지 삶의 방식은 옛날 서양 철학자들의 논리에서도 찾아볼 수 있다. '욜로'는 '카르페디엠'을 외치는 에피쿠로스학파와 연결할 수 있고, '갓생러'들은 금욕을 통해 어떻게 더 나은 삶을 살 수 있는지에 대해 연구하는 스토아학파와 비슷한 진리를 좇는다. 둘은 수행의 목적지로 '아타락시아'라 불리는 평정심과 '아파테이아'로 해석되는 부동심을 주장하는데, 이는 모두 허무를 넘어선 행복을 뜻한다. 몸의 고통과 마음의 불안이 모두 제거된 상태를 뜻하는 '아타락시아'도, 어떠한 상황에서도 동요하지 않고 정념의 지배에서 벗어난 상태를 말하는 '아파테이아'도 모두 초월 단계의 쾌락을 얻는 것을 목표로 하는 것이다. 결국 '욜로'와 '갓생'은 그 시작의 뿌리가 같다는 이야기다. 얼핏 대척점에 있는 듯한 가치관이지만 '욜로족'과 '갓생러'는 궁극적으로 행복을 지향한다는 공통된 세계관을 공유하고 있다. 가령 열심히 일을 하고 돌아와 마시는 맥주 한 캔은 '갓생러'만이 누릴 수 있는 기쁨이다. 그들은 고통을 참아낸 끝에 얻는 보상에 깊이 흡족해한다. 또 한편 '욜로족'들에게 잦은 호캉스와 쇼핑은 값진 힐링 포인트다. 비록 순간의 낙이지만 온전히 누리는 현재의 행복감이 삶에 대한 만족도를 높인다.

때로 일부 '갓생러'들은 지속 가능하지 않은 잠깐의 낙에 만족하는 이들을 깎아내렸고, 그들이 지향하는 삶의 태도를 한탕주의로 해석했다. 나 역시 일시적인 즐거움을 위해 충동적인 소비를 즐겨 하던 때가 있었다. 그때마다 욕망을 억제하지 못하는 스스로를 비난하고 책망했었다.

　그러나 '욜로'부터 '갓생'까지 둘 중에 꼭 정답이 있는 것은 아니다. 또 '욜로족'과 '갓생러'는 서로 반대되는 입장이 아니었다. 인간은 언제나 삶의 만족을 추구하기 위해 살며, 때에 따라 '욜로'도 '갓생'의 삶도 모두 취할 수 있다. 결국 고통과 쾌락의 균형을 건강하게 유지하는 것이 가장 중요하다. 오로지 쾌락만 좇는 일상이나 지나치게 잦은 도파민 분비는 삶에 감흥을 잃게 만드는 법이다. 기진맥진한 끝에 인생의 번아웃이 찾아온다면 스스로에게 '욜로'의 삶을 허가해 보자. 그러고는 '갓생' 열풍에 다시 몸을 맡겨보자. '욜로' 또는 '갓생' 중 양자택일이 아닌 그 둘의 교집합에 들어갔을 때 우리는 오롯이 완연한 행복에 가까워질 수 있다.

3장

과거로부터 배운 것들

내가 살아온 역사만큼 생각의 뿌리를 뒷받침할 수 있는 것이 있을까. 과거의 면면에서
새롭게 사유를 확장한다.

밥 한 끼

대학교 재학 시절, 내 가장 큰 소원은 친구에게 밥 한 끼를 대접하는 것이었다.

그때 우리 집은 마냥 어렵지도, 크게 유복하지도 않은 평범한 가정이었다. 월세를 제외한 용돈은 생활비를 포함해 딱 40만 원. 그때의 물가를 돌이켜보면, 크게 부족했던 수준의 돈은 아니었다. 또 아이가 셋인 일반 가정의 가계 수준을 고려했을 때, 당시엔 부모님이 매달 용돈을 잊지 않고 꼬박꼬박 챙겨주시는 것만으로도 감사한 마음이었다.

하지만 흥청망청 유흥의 맛을 봐 버린 젊은 청춘에게 넉넉한 주머니 사정은 중요한 필요조건이었다. 무언가 결과를 얻어내려면 당연지사 꼭 준비되어 있어야 할 조건. 덕분에 수중의 돈은 매달 빠르게 공중분해 되었다. 뒤늦게 주말 아르바이트도 시작해 봤지만 애인과 데이트하랴, 대학 친구들 간의 모임에 참석하랴, 돈이 어디로 새 나가는지 감을 잡기 힘들 정도였다.

서울권 소재 대학에 모인 풋내기들 모두 고만고만한 사정이었겠지만 당시에도 몇몇 눈에 띄는 친구들은 있었다. 큰 고민 없이 친구들에게 밥 한 끼, 술 한 상을 턱턱 사주는 이들. 난 항상 그들을 우러러봤다. 식당의 메뉴판 앞에서 미간 사이에 주름을 잡고 최대한 저렴하게 먹을 수 있는 방법을 고민하던 일반 학생들과 달리, 그들은 대담하고 과감했다. 주머니 속 여유는 곧 그들의 인성 그 자체가 되었다.

친구가 사주는 밥 한술을 뜰 때마다 다짐했다. 친구에게 밥 한 끼, 기분 좋게 살 수 있는 어른이 되자. 10년 뒤에는 앞뒤 가리지 말고 필요한 때에 지갑을 열 수 있는 사람이 되자.

다짐의 결과는 나쁘지 않았고 운 좋게도 그리 오랜 시간이 걸리지 않았다. 엄청난 부를 쟁취했다고 자부할 수는 없지만, 가끔은 소중한 지인들에게 괜찮은 식사 한 끼를 대접할 수 있을 정도의 돈벌이를 하게 됐다. 지갑에서 직접 꺼낸 카드가 긁히는 찰나마다 형언할 수 없는 벅참이 올라왔다.

사실 내게 필요했던 건 돈이 아니었다. 넉넉한 주머니에서 우러나오는 마음의 여유를 바랐던 것이다. 친구의 지갑에서 나오는 돈을 시기했던 것이 아니라, 친구들을 즐겁게 해주고 너그럽게 포용해 주었던 너른 마음 씀씀이가 부러웠다.

홀깃 눈치를 보는 일 없이 한층 편한 마음으로 식사 자리를 갖다 보니, 그제야 눈과 귀에 많은 것들이 포착됐다. 어느 날은 마주 앉은 지인의 맑은 미소가 눈에 들어왔고, 어떤 날엔 다 죽어가는 고민의 목소리가 들려왔다. 사람을 돌보고 살필 줄 알게 된 것이다. 이제야 나는 누군가와 똑바로 눈을 마주치며 웃고 상대방의 등을 진심으로 두드려줄 수 있게 됐다. 갑작스러운 만남의 지인에게는 충분한 반가움을, 고된 삶에 고통받는 친구에게는 따스한 위로를, 밥 한 끼로 표현할 수 있는 어엿한 성인이 된 것이다.

요즘은 좀처럼 잘 쓰지 않지만 '식구'라는 말이 있다. 한집에 함께 살면서 끼니를 같이하는 소위 한솥밥을 먹는 사람들을 일컫는 단어로 종종 가족을 대체하는 말로 쓰이기도 한다. 아빠는 평안한 가정에 관해 일장 연설을 하실 때마다, 왕왕 '식구'를 언급하며 얼굴을 맞대고 먹는 밥의 중함에 대해 강조하셨다. 그때마다 그 귀중한 자리를 내가 직접 만들어 베풀 수 있다면 얼마나 뿌듯하고 가치 있게 느껴질지 상상하곤 했다.

앞으로도 밥을 사는 일이 많아졌으면 한다. 위로를 위한 자리여도 축하를 위한 자리여도 좋다. 어떤 이유에서 시작됐든 내가 대접하는 순간, 그 식사 자리는 권하는 순간부터 마무리까지 사소한 행복으로 가득 차게 되리라 자신한다. 그 시간 동안만큼 우리는 분명 '식구'일 테니까.

돼지 저금통

어린 시절 우리 집엔 연말을 기념하는 연례행사가 있었다. 크리스마스 때쯤 한 해 동안 모은 돼지 저금통의 배를 가르는, 일종의 의식과도 같은 일이었다. 천 원 남짓이었던 용돈을 아껴 모은 티끌이 얼마나 거대한 태산이 되었겠냐 만은 세뱃돈부터 간간이 들어오는 비정기적인 수입을 모두 더 해 내 손으로 직접 크리스마스 선물을 사는 것은 한해의 큰 기쁨이었다. 자식 셋의 선물을 한 번에 준비하는 것이 빠듯했던 부모님 나름의 경제적 묘책이었겠으나, 의도했건 아니건 자식들에게 건강한 저축 습관을 심어줄 수 있던 교육법이기도 했다. 돼지의 배에서 나온 작은 동전들을 알알이 세고 있노라면 내년의 다짐은 물론 앞으로도 이렇게 열심히 돈을 모아야겠다는 결심이 서곤 했다. 그 작은 경험들 덕분에 조금은 배가 굶더라도 흡족함을 느낄 줄 알게 됐고 가난과 행복은 반비례할 수 있음을 배우게 됐다. 돼지 저금통 하나로도 충분한 목표를 세울 줄 알게 됐고, 하나의 목표를 이루는 것만으로도 삶에 만족할 수 있었다.

세월이 흘러 너무나 많은 것들을 취할 수 있는 시대가 되었다. 이른바 '알파 세대'로 불리는 요즘 아이들은 돼지 저금통의 실체조차도 모를 것이 분명하다. 혹 알고 있다 하더라도 이제 작은 돼지 저금통은 제 역할을 다하지 못한다. 몇 년이 더 지나고 나면 역사박물관 어딘가의 구석을 차지하고 있을지도 모른다.

자본을 갖고 있다는 전제 눈을 뜨고 손을 뻗으면 모든 것들을 거머쥘 수 있는 세상이다. 주말 아침이 되면 국밥 한 그릇 값의 아이스 아메리카노를 마신다. 점심엔 친구와 만나 유명 브런치 가게나 인기 호텔의 디저트 뷔페를 즐긴다. 오후도 채 되지 않아 1인당 10만 원 이상의 소비가 거뜬하다. 해가 지고 나면 인근의 와인 바를 찾는다. 와인의 맛도 잘 모르면서, 그럴듯한 안주와 대충 추천받은 와인 몇 병이면 이유 모를 만족감이 샘솟는다. 누구나 부러워할 만한 사진을 고르고 골라 SNS에 올리고 나면, 완벽했던 하루가 끝난다. 이는 펜션이 아닌 고급 호텔을, 기차가 아닌 비행기의 비즈니스석을, 보세가 아닌 명품을 소비하는 요즘 젊은이들의 일과다. 예전엔 명품이라고 하면 기껏해야 용돈을 모아 겨우 산 지갑이나 가방이 전부였는데 이제는 가방과 지갑은 물론 옷, 신발, 시계, 호텔 뷔페나 고급 식당의 오마카세처럼 생활 전반에 값비싼 소비를 하는 형태가 늘고 있다. 언제부터 의식주를 넘어 다양한 영역에 지갑을 여는 것이 당연해졌을까. 단 한 번의 의미 있는 소비로는 더 이상 충분한 욕구를 채울 수 없어진 것은 분명했다.

우리 대부분은 이미 안정적인 삶을 위한 기본적인 요소를 가졌다. 넓진 않더라도 아늑한 주거 공간엔 이미 따뜻한 침대와 이불이 준비되어 있다. 그런데 침대와 이불 한 채면 충분했던 잠자리엔 편안한 분위기를 조성할 예쁜 조명도, 안정적인 수면을 위한 디퓨저도, 침대와 한 쌍으로 어울릴만한 협탁도 필요해졌다. 분명 모자라지 않게 됐는

데 이상하게도 우리는 더 많이 갈구하고 있다. 모순되게도 가지고 있는 것만큼 부족한 것들이 자꾸만 생각났다. 내가 갖지 못한 것들의 존재를 알게 됐고, SNS를 통해 그것들을 소유하고 있는 사람들을 눈으로 확인했기 때문이다. 부럽고 불편한 마음이다. 단순한 목표가 아닌 수많은 목적이 생겼고, 한 번의 만족이 아닌 다양한 갈증이 생겨났다.

이 사회는 소위 플렉스 한 삶, 사치에 미쳐 있다고 해도 과언이 아니다. 최근 한 구인·구직 사이트가 20대와 30대 3천여 명을 조사한 결과, 응답자의 52.1%가 플렉스 소비에 긍정적이라고 답했다. 그 이유로는 '자기만족이 중요해서', '즐기는 것도 다 때가 있어서', '인생을 즐기는 것으로 생각해서'라고 덧붙였다. 물론 현대인에게 '자기만족'은 아주 중요한 가치다. 헌신과 희생이 강요되었던 이전 세대와 달리 요즘 젊은이들에게 '자기만족'은 삶의 행복을 좌우하는 중요한 지표가 됐다. 그렇다면 이때 '자기만족'의 끝은 어디일까. 배움의 깊이보다는 학습의 다양화가 당연해지고, 하나의 취미보다는 여러 종류의 취향을 즐기는 활동이 유행하고 있다. 이미 갖고 있는 것은 더 고급스러운 것으로 대체하고 가지지 못한 것은 2차 거래를 통해서라도 가지고서야 만다. 우리는 때로 '자기만족'을 '자기과시'로 해석하고 있는 것은 아닐까. 자신의 만족을 위한다는 변명 뒤에 숨어, 내가 이렇게나 많이 배우고 있고 이만큼이나 다양한 여가를 즐기고 있다는 것을 자랑하고 싶은 욕심에 빠져있는 것은 아닐까. 절대 충족되지 않는 만족감을 위해 맥락 없는 소비를 반복한다면 그 결말은 뻔할 게 분명하다.

  소비의 양이 많아지고 속도마저 빨라지고 있는 만큼, 소비를 통해 채워지는 충만함도 급속도로 사라진다. 허영에 들뜬 소비는 타인의 질투와 시기로 완성되기에, 개인의 만족 하나로는 의미가 없다. 사고 자랑하고 빠르게 잊는 과정은 욕구의 해소가 아닌 욕구의 양산이다. "지나친 것은 미치지 못한 것과 같다."라는 말이 있다. 나는 이 말을 "모자람은 때로 충분하다."라고 해석하고 싶다. 과하지 않아도 충분했던 시절이 분명히 있었다. 배부른 돼지 저금통 한 개는 더 이상 우리의 배를 채워주지 못하기에 시대와 사회에 맞게 살아가는 것은 당연한 일이지만, 그 이전에 선행되어야 할 것은 돼지 저금통 한 개의 가치를 아는 것이다. 단순하고 소소한 것에도 만족했던 삶에 대한 맹목적인 그리움이 아니다. 변화의 흐름에 맞게 형태는 변해가더라도 본질을 잃지 말자는 이야기다. 만족의 역치를 조금 낮춰보는 것은 어떨까. 가진 것들을 소중히 여기다 보면, 혹여 남들이 비해서는 모자랄지라도 나에게만큼은 충분한 삶이 될 테니까.

이모

내게는 엄마가 한 명 더 있다. 정확히 말하자면 엄마처럼 여기는 여성이 한 명 더 있다. 바로 오랜 세월 부모 이상으로 우리 남매를 아끼고 챙겼던 엄마의 언니다. 막 태어났을 때부터 아니 기억이 남아있을 무렵부터 이모는 항상 우리 곁에 있었다. 어스름한 저녁의 방과 후 귀갓길, 현관 어귀부터 꽁치구이 냄새가 피어오르는 날이 있었다. 필시 이모가 방문한 것이리라 들뜬 마음을 안고 집에 달려가면 온 품으로 나를 끌어안는 포근한 고목 한 그루가 있었다. 한 번 껴안으면 좀처럼 서로를 놓지 않는지라, 한 몸처럼 붙어있는 이모와 나를 보고 주변에서는 '고목에 매미'라 불렀다. 고목이 무엇인지도 몰랐던 당시의 어린 나는, 그녀와 함께 불릴 수 있는 별명이 있다는 것 자체가 자랑스럽고 뿌듯했다. 날고 길었던 사춘기 시절을 거쳐 성인이 되기까지 이모는 단 한 번도 나에게 호통을 치거나 핀잔을 내뱉지 않았다. 고민이 있을 땐 그저 소통 창구가 되어주었고, 좋은 일엔 그 누구보다 열과 성을 다해 진심이 담긴 칭찬을 보냈다. 덕분에 엄마에게 이야기하지 못했던 속앓이도, 친구에게 감히 버리지 못했던 감정들도 그녀와는 나눌 수 있었다. 이모에게만큼은 터놓지 못할 고민이나 눈치 볼 일들이 없었다. 이모는 나의 잘못이나 단점을 들춰내기보다 보이는 그대로의 모습 그 자체를 인정하고 귀히 여겨주었다.

세월이 흘러 눈에 넣어도 아프지 않을 어여쁜 조카 두 명이 생겼다.

올망졸망한 세모 입으로 '이모'라는 두 글자를 내뱉었을 때의 감격은 지금도 잊을 수 없다. 조그마한 고사리손을 뻗어 안길 때면 누군가를 위해 목숨을 바칠 수 있는 숭고한 사랑이 이런 느낌일까 싶다. 하루가 다르게 커가는 모습은 보고만 있어도 아까울 정도로 사랑스럽다. 찬바람이 부는 날이면 감기에 걸리지는 않았는지 오늘의 어린이집은 무탈하게 다녀왔는지 확인하기 일쑤다. 한 달은 고사하고 이 주에 한 번씩 찾아가 보아도, 자꾸만 보고 싶은 아이들이다. 언니의 뱃속에서 아기들이 태어난 순간 본연의 의지와는 무관하게 필연적으로 이모가 되었지만, 직접 눈을 마주하고 손을 맞잡은 순간 진실로 참된 이모가 되어야겠다고 다짐했다. 나에게 이모가 그랬던 것처럼, 작고 여린 손들을 오래도록 꾸준히 같은 온도로 감싸주어야겠다고 결심했다. 그래서 나는 아이들이 아무리 떼를 써도 무섭게 겁주지 않는다. 장난 섞인 놀이는 똑같이 장난으로 응수하고, 시기와 질투를 일삼을 땐 같은 눈높이에서 동조한다. 온전히 좋은 기억들만 남겨주고 싶어 얼굴을 활짝 펴고 깔깔거리며 즐거움을 나눈다. 자신들을 오롯이 어여삐 여겼던 이모로 추억해 주길 바라며 매 순간 사랑의 표식을 남긴다.

극심한 성장기를 앓았던 한국의 산업 혁명 시기, 오갈 데 없던 청년들을 보듬었던 것도 뒷골목 식당의 이모들이었다. 그들이 내어주던 따뜻한 국밥 한 그릇과 소주 한 병, 정겨운 위로 한마디가 지금 우리가 내뱉는 '이모님'의 전신이었는지도 모른다. 지금도 노포 식당을 찾으면, 어디선가 '이모님' 소리가 들려온다. 사장님 혹은 주문을 받는 직원분들을 정겹게 부르던 일종의 은어. '여기요'나 '아줌마' 따위의 말보다는 한층 따뜻하고 친근하다. 일반화할 수는 없겠지만, 많은 경우 식당의 이모님들은 억척스럽기보다 부드럽고 푸근하다. 반찬을 더 달라는 성화도, 사장님보다는 이모들에게 말하기 편하다. 왜인지는 모르겠지만, 똑같은 콩나물 반찬이라도 사장님은 정량을, 이모님은 나물 몇 가닥을 더 얹어줄 것 같은 느낌이다. 이러한 일종의 이모 세계관은 비단 나이 든 사람만이 동감할 일은 아니다. SNS상에서 귀여운 아이를 보거나 지인의 아기가 태어나면 우리는 '랜선 이모'를 자처한다. 누구도 랜선 고모나 랜선 삼촌이 되겠다고 말하지는 않는다.

이처럼 남녀노소 이모만을 찾게 되는 까닭은 한국이 모계사회이기 때문이라는 여론이 지배적이다. 실제 옛 기록을 보면, 혼인 시 남자가 여자에게 장가를 간다고 표현했다고 한다. 여자가 시집을 간다라는 건 후대에 나온 말로, 결혼은 남자가 여자의 집, 즉 장인의 집으로 들어가는 것을 의미했다. 하지만 굳이 이런 역사의 흔적을 찾지 않더라도 우린 본능적으로 '이모'에게 허물없는 감정을 느낀다. 남자 형제보다 여자 형제를 자주 보게 되니 당위적인 접촉 빈도의 문제일 수도 있겠으나, 예부터 많은 이들이 이모로부터 안정과 편안함을 느꼈다는 사실만큼은 자명하다.

어느새 각박해진 우리 사회에도 이모처럼 구실 없는 사랑의 존재가 필요한 것 같다. 층간 소음으로 인한 갈등부터 학교 폭력, 존속 살

해까지. 예부터 한 성인이 사회로 발돋움하기까지 교류하고 의지했던 이웃, 친구, 부모라는 관계가 무너져 가고 있다. '가정'과 '친구'라는 사회의 기본 구성단위가 해체되면서 많은 이들이 마음 둘 곳을 잃어가는 것이 안타깝다. 기댈 곳 없이 모서리의 끝까지 도망간 사람들에게도 인심 좋은 이모의 손길이 긴요하지 않을까. 우리 사회에 요구되는 '이모'란 명분 없는 사랑의 표본으로, 골목 어귀의 국밥집 같은 것이다. 이모들은 괄시와 비난은커녕 내가 왜 우울한 표정인지 어떤 상처를 가졌는지 궁금해하지 않는다. 굳이 고민이나 비밀을 털어놓아야 하는 부담이 없고, 억지스럽게 조언을 청하지 않아도 된다. 그저 인자한 미소와 함께 뜨끈한 국밥 한 그릇을 내어줄 뿐이다. 보글보글 끓어오른 국밥을 푹 퍼낸 한 숟갈이면 그 자체로 충분한 위로가 된다. 어떠한 핑계도 대의명분도 필요 없이 뜨끈하게 데워진 국물이 마음의 온도까지 높여준다. 내가 어린 시절 분에 넘치게 받았던 순애처럼 또 조카들을 향한 끝없는 애정의 원천처럼, 세상 어딘가 아무개 씨에게도 조건 없는 사랑의 존재가 필요할지 모르겠다. 그에게도 참다운 위안과 우주적인 사랑을 줄 수 있는 '이모'라는 존재가 나타나길 진심으로 바라본다.

깍두기가 사라진 사회

오랜만에 친구들을 집에 초대했다. 자리가 길어지면서 한 친구의 추천으로 요즘 유행하는 '밸런스 게임'을 하게 됐다. 한 가지 주제를 두고 단 두 개의 선택지에서 각자의 입장을 택해 대화를 이어가는 게임이다. 예를 들어 '내가 좋아하는 사람과 연애'와 '나를 좋아하는 사람과 연애' 중 좀 더 낫다고 느껴지는 것을 선택하거나, '불편한 상사와 먹는 한우'와 '혼자 먹는 삼각김밥' 중 어떤 선택지가 더 불편한지를 고르는 것이다. 양 갈림길에서 같은 답변을 선택한 사람들끼리는 끈끈한 동질감을 느끼게 되고, 반대편 쪽에는 곱지 않은 시선을 던지게 된다. 의견이 완전히 갈렸을 땐 서로의 입장을 대변하고자 긴 토론이 이어졌는데, 그 치열함의 정도가 마치 〈100분 토론〉 프로그램에 버금가는 수준이었다. 문득 그때를 돌아보니, 요즘 우리는 편 가르기에 지나치게 중독되어 있다는 생각이 들었다. 자신도 모르는 새 늘 양 집단을 정의하고 분류하며 소속되기를 반복하고 있었다.

몇 년 전 '민초단'과 '반민초단', '부먹'과 '찍먹'이라는 단어가 많은 사람들의 입에 오르내렸다. 민트 초코 아이스크림을 좋아하는 사람과 좋아하지 않는 사람은 그 이전에도 분명 존재했다. 또 과거 우리에게 탕수육은 늘 소스와 함께 부어 먹는 고기튀김이었다. 그런데 어느새 이 주제가 논제로 바뀌면서, 우리는 부류를 나누기 시작했다. 민트 초코를 즐기는 사람은 민트 초코를 좋아하지 않는 사람을 좀처럼 이해하지 못하는 듯 선을 그었다. 원래는 옛 방식 그대로 탕수육을 즐겼던 사람도 괜스레 소스에 찍어 먹는 것이 미식가의 올바른 태도인 양 행동했다. 언젠가부터 우리는 네 편 내 편을 가르는 데 급급해졌다. 굳이 논쟁하지 않아도 될 거리를 만들어 억지로 구분 짓고 쟁점을 만드는 것을 당연시했다.

이분법적인 사고에 빠진 사람과는 대화를 지속하기 어렵다. 타인의 생각이나 새로운 의견을 무조건 이의 제기 혹은 공격으로 받아들이기 때문이다. 자신의 견해와 다른 의견은 가짜 뉴스로 치부하거나 맹목적으로 거부하기도 한다. 특히 젊은이들의 사회는 논쟁과 논란을 좋아하는 사회로 변해버렸다. 2021년 말 대한민국을 강타했던, 이른바 '깻잎 논쟁'의 시발점도 다르지 않다. 깻잎을 떼지 못하는 친구를 앞에 두고 그를 돕는 연인을 과연 용납할 수 있는지 없는지에 대한 논의였다. 실제로 인터넷에 '깻잎 논쟁'을 검색하면 깻잎 논쟁의 찬반을 가리는 게시글과 이에 대한 사회의 현상을 되짚는 글까지 총게시물이 무려 31만 건에 달한다. 그 밑에 있는 연관 검색어는 더욱 심상치 않다.
'깻잎 논쟁 정답'
흑백논리에 원래 정답이 있었던가.

왜 우리는 자꾸만 양 갈림길에서 서로에게 선택을 종용할까. 계급 사회에서 민주 사회로, 농경 문명에서 시장 경제로 탈바꿈해 오는 과정에서 우리 사회는 계속해서 선택을 강요받았다. 또 몇 차례의 세계 대전과 냉전 사회를 거쳐 이데올로기를 바탕으로 한 분쟁이 지속되면서, 이전 세대들은 집단에 소속되기 위해 혹은 살아남기 위해 사회주의 혹은 자유민주주의 중 하나를 선택해야만 했다. 불과 40여 년 전까지만 해도 민주주의를 열망하는 자들과 그렇지 않은 자들이 대립하는 격동의 시대를 겪었으니, 우리 사회는 양단 가운데 무언가를 고르는 행위에 아주 오랜 시간 길들었는지도 모른다. 덕분에 우리는 의도했건 의도하지 않았건, 많은 세대를 거쳐 갈림길에 익숙한 사회로 거듭났다.

자꾸만 양극단에 치우쳐 선택하려는 사람들을 보며, 유년 시절 우리 곁에 있었던 깍두기 문화가 떠올랐다. 편을 나눠 경쟁하는 종류의 놀이가 유행했던 시절, 무리 중에는 늘 유독 소외되는 아이들이 있었다. 지금이라면 어느 편에서도 쉽게 환영하지 않았겠지만, 당시 우리는 '깍두기'라는 별칭을 붙여 특별한 벗으로 대우했다. 왕따 문화나 집단 따돌림은커녕, 어느 편에도 소속되어 있지 않은 사람인 만큼 어느 쪽에나 속할 수 있다는 기회를 마련해 주었다. 모두 함께 어우러져 노는데 더없이 현명한 아이디어였다. 또 자신과 조금 다를지라도 괜찮다는 배려이자 함께 어울려 가자는 동행의 실천이었다.

안타깝게도 다양한 의견의 스펙트럼이 사라진 시대에 더 이상 깍두기는 존재하지 않는다. 우리는 자꾸만 흑과 백, 선과 악, 득과 실을 나누고 중용이나 중립의 가치를 인정하지 않으려 한다. 민트 초코 아이스크림은 좋아하면서 민트 초코 케이크는 싫어하는 사람이나, 탕수육을 부어 먹을 수도 때로는 부어 먹지 않을 수도 있는 '깍두기'의 존재를 인정하지 않는 것이다. 내 편이 아니라면 온전히 네 편으로 돌려버리고, 네 입장이 아니라면 반드시 내 입장에 동의해야 한다고 밀어붙인다. 너와 나의 다름을 구분 짓는 데에만 과도한 에너지를 쏟는 것이다.

어쩌면 개인의 취향이 다양화되고 자신의 의견을 밝히는데 거침없는 사회가 도래하면서, 모두의 목소리가 더 세분화로 쪼개졌는지도 모른다. 좋고 분명함 혹은 나쁘고 불편함이 한층 선명해진 듯싶다. 하지만 인간의 기분 혹은 생각을 1부터 100까지 숫자로 표현했을 때, 모든 사람이 1 또는 100의 양극단을 선택하는 것은 불가능하다. 누군가에게는 적당히 좋은 것이 70일 수도, 꽤 갑갑한 것이 50일지도 모른다. 그러나 지금의 우리는 오로지 두 가지 선택지에서 한 가지 답변만을 택할 것을 강요받는다. 또 온전히 느낀 감상의 스펙트럼을 편안하게 유영하지 못한다. 놀이터 한쪽에 늘 존재하던 깍두기들이 잊히지 않는다. '어느 쪽에도 끼지 못하기에 어느 집단이든 쉽게 낄 수 있는 사람', 깍두기는 옛말 '와따리가따리'에서 시작했다고 한다. 소모적인 논쟁에 빠질 때면, 놀이에 잘 끼지 못하는 친구를 편의에 따라 이편이나 저편에 끼워줬던 '와따리가따리' 정신이 그립다.

자존감은 어디서 자라나는가

자존감이 곧 자신감이라 생각했던 때가 있었다. 당시에는 수업 시간 말미 누가 더 손을 많이 들고 스스럼없이 질문을 하는지, 발표 과제 때 누구의 목소리가 제일 떨리지 않는지가 가장 중요했다. 번쩍 손을 들어 또렷한 목소리로 발표를 마치고 나면, 나는 반에서 가장 자존감이 높은 아이가 되어 있었다. 자리로 돌아가 앉을 땐 약간의 성취와 함께 한 뼘 자라난 자신감을 느꼈다. 타인과의 경쟁 속에서 얻은 긍정이기에, 반 아이들 사이 부러움의 눈초리가 곧 자신감의 원천이 되었다. 그러나 당시의 자신감은 자존감이 아닌 잘못된 자존심을 자라나게 하는 좋은 먹이였다는 걸, 시간이 많이 흐른 뒤에야 깨달을 수 있었다.

처음 잘못 정립된 자신감은 맞지 않는 곳에 꿰맨 첫 번째 단추처럼 라이벌 의식만을 부추겼다. 어떠한 집단 혹은 조직 속에 있더라도 1등을 하기 위해 분투하게 했고 결과적으로 좋은 성과는 얻을 수 있었지만, 결국 나에게 의미 있는 결실은 아니었다. 겉으로는 모든 일에 자신 있는 양 뽐내고 다녔지만, 저변에 깔린 두려움과 불안은 사라지지 않았다. 훌륭한 성적을 받을수록 실상 스스로 이런 결과를 얻을 인물이 아니라는 자기 평가로 자책이나 혐오를 일삼았다. 종국에는 개인의 성취나 보람보다는 외부의 보상만을 좇는 인정 중독에 빠졌다. 주변 사람들도 의아하게 생각했다. 외양적으로는 걸출한 성과를 보이는 이가 반복적으로 자기를 평가 절하하며 사회적 인정에 동의하지 않고 있으니 참으로 이상한 일이었다.

"넌 사실 자존감이 낮은 거야."

친구의 일침을 처음 들었을 때의 충격은 쉽게 잊을 수 없다. 어떤 상황이든 앞장서 대담하게 해결해 왔던 내가 자기 존중을 하지 않고 있다니. 듣고 보니 어쩌면 이미 무너진 자존감을 숨겨내느라 되려 겉으로만 자신감을 내세웠는지도 모른다는 생각이 들었다. 사실은 발표 전 차가워진 손과 떨리는 성대를 감추느라 준비 과정의 나를 일부러 모르는 체하고 있었다. 긴장한 표정도, 지쳐버린 굽은 등도, 실수를 저지르고 자책하는 모습조차 나라는 사실을 인정하기가 싫어 고개를 돌렸다. 그곳에 실재하는 나를 인정하고 사랑할 줄 몰랐다.

당신은 길거리에서 넘어진 아이를 보며 어떤 행동을 하는가. 왜 거기 있었냐고, 왜 까불었냐고, 넌 이제 다시는 일어나지 못할 거라고 책망하고 비난하지 않을 것이다. 그런데 왜 스스로에겐 각박할까. 실수한 나에게는 그저 주변이 돕지 않았고, 운이 좋지 않았을 뿐이라고 에둘러 얘기해 주지 않을까. 못 하는 것도 있지만 잘 해결할 수 있는 일도 있다고 격려해 주지 않을까. 넘어진 아이가 응원과 칭찬을 통해 다시금 일어날 용기를 얻는 것처럼, 작은 불찰이 있었을 수밖에 없는 이유를 인정해 주고 다음 기회를 마련할 수 있도록 스스로 독려해 준다면 우리 역시 실수의 만회는 물론 더 좋은 본보기를 만들어 낼 수 있다.

　자아존중감, 다시 말해 자존감은 자신이 사랑받을 만한 가치가 있는 소중한 존재이고 어떤 성과를 이루어 낼 만한 유능한 사람이라고 믿는 마음을 말한다. 또 자아존중감은 객관적이거나 중립적이기보다 주관적이다. 타인의 의견이나 비판, 여건에 쉽게 좌우되기보다는 자기의 판단에 높은 비중을 둔다. 혹여 문제가 발생하거나 누군가 오해할 만한 상황이 생겼더라도 본인의 가치를 믿고 주어진 능력과 자원을 활용해 대응해 나가는 것이다. 가장 이상적인 구조는 자존감을 토대로 그 위에 자신감을 장착하는 것이다. 자신의 쓸모를 인정하고 존중해 준 다음, 있는 그대로를 믿으며 대범하게 행동했을 때 진정으로 안정적인 나로서 살아갈 수 있다. 자신감과 자존감을 헷갈리거나 순서를 뒤바꾸지 말자. 때로 일방통행인 자신감에 올바른 방향을 제시하기 위해서는, 자존감이라는 잘 정비된 도로가 필요하다.

사랑은 유행을 타고

음악 취향이 꽤 다양한 편이다. 하나의 장르만을 편식하지 않는 덕에 20세기 발라드부터 아이돌 위주의 최신곡까지 모두 즐겨 듣는다. 예전에 인기 있던 노래와 요즘의 노래를 번갈아 듣다 보면, 노랫말에도 시대의 흐름이나 유행이 담겨있다는 사실을 알 수 있다. 특히 사랑을 이야기하는 곡에서 차이가 유독 큰데, 이전 시대를 아울렀던 명곡들의 단골 주제는 숙명적인 사랑이었고 과거에 항상 1위를 차지했던 곡들을 대부분 애달픈 사랑의 감정들로 뒤범벅된 발라드였다. 특히 주옥같은 가사로 칭송받는 노래들이 다뤘던 사랑의 무게는 요사이 대중가요들과는 조금 달랐다. 썸과 같이 마치 사귀는 것처럼 가까이 지내는 관계나 장난스러운 고백은 차치하고 오로지 '애절한 사랑'만을 부르짖고 있었다.

1999년 인기를 휩쓸었던 그룹 야다의 〈이미 슬픈 사랑〉에는 마음 아픈 이별에도 불구하고 상대방의 축복과 행복을 빌어주는 가사가 등장한다. 이별의 벽 앞에서도 변치 않는 사랑을 약속하는 것이다. 남성 듀엣으로 큰 사랑을 받았던 그룹 플라이 투 더 스카이의 〈너를 너를 너를〉에는 모든 걸 내주어도 '한없이' 모자란다는 가사가 나온다. 또 '나의 목숨보다'라는 표현을 통해 더없이 열렬한 사랑을 고백한다. 당시는 사랑에 목숨을 걸던 시절이었다. 과거 우리가 노래했던 사랑은 지금보다 훨씬 고결하고 숭고한 위치에 있었다. 요즘의 로맨스가

고춧가루를 가득 풀어 자극적인 맛이 도는 제육볶음이라면, 이전의 만남은 오래도록 고아 더욱 감칠맛이 남는 갈비찜 같은 것이었다. 뭉근하지만 오래도록 끓여 낸 만큼 맛은 풍부하고 그만큼 혀끝의 여운이 길이 남았다.

우리는 언제부터 목숨 바쳐 하는 사랑을 노래하지 않게 됐을까. 언젠가부터 애타는 사랑을 찾지 않게 됐을까.

어쩌면 관심의 다양화와 노력의 정도가 그 이유일지도 모른다. 옛 시절 연인들은 사랑에 빠지고 나면, 서로를 그리는 것 외에는 크게 할 일이 없었다. 지금이야 당연한 영화나 맛집 데이트의 기회도 많지 않았을 테고, 멋들어진 여행은커녕 수업 시간을 쪼개 잠깐 담소를 나누는 것이 유일한 낙이었을 때다. 또 절절한 마음을 전하기 위해서는 기꺼이 편지를 쓰거나, 온종일 공중전화 부스에 서서 통화를 시도하는 공을 들여야 했다. 정성을 들인 만큼 마음은 더 귀해졌을 테고, 수고가 무용지물이 되는 날이면 세상이 무너진 것처럼 큰 상실감을 느꼈을 거다.

반면 요즘의 만남은 사랑이라는 거룩한 표현보다는 사실상 가벼운 '연애'에 가깝다 (연애를 깎아내리는 것은 절대 아니지만, 상대적으로 고귀한 느낌이 덜하다). 대단한 공력을 쏟지 않아도, 우리는 얼마든지 편하게 만나고 또다시 헤어질 수 있다. 게다가 상대방 외에도 관심을 기울여야만 하는 일들이 너무나 많기 때문에 남자 친구 혹은 여자 친구의 존재는 행복한 삶을 위한 충분조건으로 자리 잡기 부지기수다. 무게 있는 사랑을 부담스러워하며, 애초에 신중한 사랑에 빠질 생각이 없다.

물론 사랑에는 정답이 없다. 무게에 따라 그 가치나 중요도를 판단하는 것은 분명한 오류다. 또 가뿐한 연애도 간절한 사모도 모두 같은 사랑의 뿌리에서 나왔음은 틀림없다. 다만 젊은이들의 사랑이 자꾸만 자극적인 쪽으로 흘러가는 것이 우려스럽다. 강렬한 프랜차이즈에 휩쓸려 사라져가는 골목 어귀의 국밥집이나 각종 화려한 댄스 음악에 밀려나 자주 접할 수 없는 20세기 발라드 곡들처럼, 진지한 사랑의 모습이 점차 사라져가는 요즘이다. 기호가 다양한 나로선 세월을 거스른 채 자리를 지켜 온 노포나 깊이를 가늠할 수 없는 희대의 곡들이 비주류로 숨어 들어가는 것이 서글프다. 자라나는 아이들이 절대 이것들을 놓치지 않았으면 하는 바람이다. 본인들이 꾸려가는 사랑의 문화도 있을 테지만, 목숨을 바칠 수 있을 정도로 존엄했던 사랑의 형태도 있었음을 꼭 학습하길 바란다. 사랑은 결코 유행을 탈 수 없다. 발라드에서 속삭이는 고상한 사랑 이야기가 박물관 속 유물로 취급되지 않았으면 좋겠다.

덤의 부재

엄마를 따라 쫓아다녔던 시장은 항상 북새통이었다. 각종 호객행위가 성행하고 돈과 물건을 주고받는 사람들이 들끓었는데, 대체로 모두 웃는 얼굴이었다. 콩나물 한 봉지를 사는 짧은 틈에도 얼마나 정다운 대화가 오갔었는지 모른다. 딸아이인 나를 포함해 서로의 안부를 묻고는 기분 좋은 흥정을 이어갔다. 구매의 마지막 단계에는 '덤'이라는 말로 통용되는 콩나물 더미를 얹어주는데, 받는 사람이나 주는 사람이나 모두 만족스러워 보였다. 한 줌의 콩나물에는 손님에 대한 반가움과 값을 지불해 준 것에 대한 고마움, 그리고 앞으로도 자주 찾아달라는 인사가 한데 담겨 있었는데, 별다른 인사말 없이도 엄마는 그 모든 마음을 읽어낸 듯 보였다.

표준국어대사전에 따르면 '덤'이란 제 값어치 외에 거저 조금 더 얹어주는 일 또는 물건을 말한다. '덤'은 주로 곡식이나 과일, 채소 같은 식재료를 파는 전통시장이나 거리의 좌판에서 이루어지는 하나의 문화였다. '덤'을 주는 사람도 아쉽지 않은 기색이고, '덤'을 받는 사람도 결코 부담스러워하지 않았다. 으레 손사래를 치며 받지 않으려는 모양새를 취하는 몇몇 손님도 있었으나, 대부분은 늘 있는 일인 양 자연스럽게 덤 문화를 받아들였다.

'덤'은 사실 한국어의 조상어 격인 르완다어 중 'Tema(to cut

down)'라는 말에서 유래했다. 'Tema'란 잘라낸 것 혹은 다듬기 위해 잘린 것을 뜻하며, 잘려 나간 부수의 더미를 주는 것이 당시의 덤 문화로 자리 잡은 것이다. 부산물, 즉 남는 걸 준다는 것은 판매자에게 크게 부담이 되는 행위는 아니다. 그래서 옛 상인들은 '덤'을 나누며 마음의 여유를 부릴 수 있었다. 그리고 그 양속 덕분에 시장은 따뜻한 활기로 가득 찰 수 있었다.

당시의 덤 문화는 지금의 서비스나 1+1 이벤트와는 다르다. 요즘의 식당에서 내어주는 서비스나 마트에서 하나를 사면 하나를 더 주는 1+1 혜택은 조금 더 노골적이다. 알게 모르게 살포시 얹어주던 '덤'과는 다르게 파는 사람이 대놓고 재방문이나 구매를 촉진하기 위해 애쓰는 듯한 상업적인 느낌을 지울 수 없다. 또 값을 지불할 때마다 당연히 누릴 수 있는 호사도 아니다. 대체로 서비스는 가게를 자주 찾는 단골이나 지인, 또는 유명인에게 한정되며, 마트의 프로모션은 정책과 시기에 따라 달라진다. 과거 우리가 만나왔던 덤 문화는 비단 단골에게 국한되거나 때에 따라 달라지는 행사가 아니었다. '덤'은 상인의 여유와 인심을 대변하는 미풍 그 자체였다.

요즘엔 이런 후한 마음들을 만나보기 어렵다. 대형마트 이용이나 온라인 거래가 활발해지면서 전통 시장을 찾지 않기 시작하고, 각종 단속으로 거리의 좌판도 유야무야 사라진 탓이다. 또 많은 식료품을 포장 판매하는 것이 일반화되고, 정량제나 가격정찰제가 보편화되면서 딱 구매한 만큼의 물건을 받는 것이 당연해졌다. 그러나 가장 주요한 원인은 인심이 궁핍해진 데 있다. 고공행진 하는 물가 폭등에 못 이겨 파는 사람도 사는 사람도 예민해져 있는 것이다. 사는 사람은 팍팍해진 살림살이에 판매 가격을 문제 삼고, 파는 사람은 이윤이 남지 않는다며 볼멘소리하기에 일쑤다. 날 선 대화에서는 한 움큼의 넉넉함도 오가지 않는다. 예전엔 삶은 각박했어도 모두가 마음의 여유를 갖고 살았다. 실상 상인도 손님도 가난했지만 서로 잘 살기를 바라는 마음 덕분에 '덤'이라는 미덕이 오갈 수 있었다.

현대사회에 이르러 우리는 한국 기준 1인당 GDP가 약 3만 2,400달러인 시대를 살고 있다. 그런데 상대적으로 넉넉해진 주머니 사정에도 불구하고 입에 풀칠하기에 어려웠던 때보다 더 서로에게 매정해졌다. 대부분이 삶의 여유를 찾았지만 정작 주변에는 조금의 공간도 내어주지 않는다. 함께 잘 살기보다 나 혼자 혹은 우리끼리만 잘 살겠다는 과욕이 '덤'의 부재를 만들었다.

온라인 거래 등 유통망이 다각화되는 가운데 융통성 없이 옛것만 고집하자는 주장이 아니다. 또 덤 문화의 회귀로 상인들에게 짐을 주고 싶은 마음도 없다. 다만 갈수록 윤택해지는 우리의 외양과 다르게 마음 그릇의 크기는 자꾸만 좁아지는 것에 모순을 느낀다. 자라나는 아이들이 더 이상 시장 아주머니의 인심을 경험할 수 없다는 게 안타깝다. 어린 시절 엄마 손을 잡고 시장통을 돌아다니며 체득했던 상생

의 가치를 요사이 아이들은 교과서를 통해서만 배운다는 사실이 통
탄스러울 뿐이다.

전 로봇이 아닙니다만

취업 스터디에 참여했던 적이 있다. 자기소개서의 검토는 물론 토론과 PT 등 다양한 모의 면접까지 경험해 볼 수 있는 자리였다. 높은 취업의 벽 앞에서 서로 전우애를 나누며 돈독한 사이가 되긴 했지만, 가상 면접 자리에서만큼은 면접관이나 피면접자로서 해야 할 역할에 진지하게 임했다. 당시 나는 면접에 꽤 자신이 있는 편이었다. 적당한 긴장감을 안고 나를 소개하고, 각 질문에 알맞은 답을 찾는 과정이 재미있었다. 장단점, 향후 목표 등의 예상 질문을 머릿속으로 되뇌면서, 나는 준비된 면접자라는 자신감으로 똘똘 뭉쳐있던 때였다. 그런데 온 힘을 다해 즐겼던 모의 면접이 끝나고 의외의 피드백을 들었다.

"지수는 로봇 같아."

그 말은 마치 로봇처럼 모든 질문에 빈틈없이 대답했다는 칭찬이 아니었다. 인간적인 모습 없이 오로지 기계적으로 답변하는 모습이 크게 매력적이지 않았다는 말이다. 그 평가는 취업을 준비하는 내내 나를 꼬리표처럼 따라다녔고, 로봇처럼 보이지 않기 위한 대안을 찾고자 노력했다. 약 8년의 세월이 흐른 지금도 완벽한 해결책을 발견하지는 못했지만, 단 한 가지는 명확했다. 그때 내게 부재했던 건 '감정'의 표현이었다.

감정을 절제하기 시작했던 건 아주 어릴 때부터였다. 너무 즐거운 나머지 "와하하" 웃어버릴 때면 조용히 하라는 잔소리가 따라붙었고,

화를 내거나 울음을 참지 못할 때면 엄마는 늘 "스읍"하는 소리로 나를 통제했다. 그땐 그 "스읍"하는 소리와 입 모양새가 어찌나 무서웠는지, 꽤 오랜 시간 감정을 드러내지 않는 것에 길들었다. 어벌쩡 어른이 되어버렸을 땐 이미 마음을 표현하는 방법을 잊게 된 상태였다. 그땐 감정을 드러내지 않는 사람이 성숙한 인간의 표본이라고 생각했고, 어떡하면 나의 감정을 잘 숨겨 매사에 일희일비하지 않을 수 있는지 고민했다. 세상살이에 감정은 부차적인 요소처럼 느껴졌다.

최근까지도 나는 감정은 숨기는 것이 마땅하다고 생각했었다. 특히 직장에서만큼은 감정의 통제가 매우 중요하다고 여겼는데, 열정이 새파랬던 신입사원 시절부터 '목계'같은 사람이 되겠다고 다짐하곤 했었다. '목계'란 나무로 만든 닭처럼 완전히 감정을 제어할 수 있는 사람을 일컫는 말이다. 장자의 〈달생편〉에 나오는 싸움닭 우화를 통해 만들어진 말로, 장자는 자기의 감정을 결함 없이 통제하면서 근접할 수 없는 카리스마를 가진 사람을 '목계지덕'을 가진 이로 평가했다. 나는 마치 나무로 만든 닭처럼 어떠한 문제나 갈등에도 감정의 동요 없이 평정심을 유지하고 싶었고, 메일이나 메신저를 통해 사람들과 소통할 때면 늘 건조한 어투를 갖기 위해 애썼다. 어떤 일에도 감정보다는 이성과 논리로 대응하려 노력했다. 그 결과 놀랍게도 난 8년 전과 동일한 피드백을 받게 됐다.
"지수 대리는 로봇 같아요."
꽤 친분을 쌓은 옆 부서 H 대리의 말이었다. 그는 어느 정도 친해졌으니 하는 말이지만 처음엔 로봇 같은 나의 모습에 다가가기가 쉽지 않았다고 덧붙였다. 빈틈없이 일하려 하고 기계적으로 사람을 대하는 모습이 그리 인간미 있게 다가오지 않은 모양이다. 8년의 시간이 흘렀지만, 나는 직장에서도 여전히 크게 매력적이지 않은 인간이었다. 성공적인 직장 생활을 꾸리고 있다고 자신하고 있던 와중 시간차로 받은 로봇 공격은 가히 충격적이었다. 내가 맹목적으로 좇고 있던 롤모델은 목계가 아닌 '로봇 닭'이었다. 감정의 평정을 유지하는 나무 닭이 아닌 감정을 완전히 잃어버린 로봇 그 자체였던 것이다.

면접장도 직장도 결국 사람과 함께하는 곳이다. 면접을 잘 해내는 것도 일을 잘 마무리하는 것도 중요하지만, 결국 면접이란 면접관과 피면접자의 소통에서 이루어지는 것이고 일 역시 결코 혼자서는 해낼 수 없는 영역이다. 때로는 실수하고도 너스레를 떨며 너털웃음으로 털어버리는 모습에서 그 지원자의 진면모가 드러나는 법이다. 생기 있는 어조와 환한 미소 한 번에 도움을 요청하기에 어려웠던 일이 술술 풀리기도 한다. 익살스러운 말 한마디가 얼어 있던 회의 분위기를 유쾌하게 만들고, 모두가 즐겁게 토의한 덕분에 더 좋은 결론이 도출될 수도 있다.

감정은 다스리는 것이 아니라 잘 굴려 사용해야 하는 것이었다. 잘 표출된 감정은 각박하고 삭막했던 세상에 오아시스가 된다. 인제야 녹록지 않은 세상살이를 원만하게 둥글려주는 것이 '감정'이라는 것을 깨달았다. 그제야 나는 로봇이 아닌 인간으로 살기로 결심했다.

일시 정지 버튼

두통 일기를 쓰고 있다. 꽤 오래 앓아왔던 편두통으로 인해 몇 년 전부터 엄마를 따라 약물치료를 다니면서, 머리가 아프기 시작할 때마다 고통의 정도와 이유를 표시하고 있다. 어렸을 때 다녔던 피아노 학원의 과제 점검표처럼 연필로 날짜를 적고 동그라미를 치는 모양새가 마치 어린아이가 된 것 같아 새삼스럽다. 까맣게 채워진 연필 자국들을 보고 있으니, 올해도 완전하게 치료하긴 글렀구나 싶다. 두 달에 한 번, 1분 남짓 잠깐 만나는 대면 진료는 크게 도움이 되진 않는다. 늘 심드렁한 편인 젊은 의사는 내가 쓴 두통 일기를 검토하며, 애정 없는 눈짓과 말투로 새로운 약을 처방한다. 완치는 없을 거라며, 충분한 숙면과 스트레스의 해소를 권고하고 나면 진료는 끝난다. 약을 먹으며 어느 정도 차도가 있음을 느꼈으므로 꾸준히 병원에 다니고는 있지만, 기약 없는 진료와 치료에 근본적인 문제 해결의 필요성을 느끼곤 한다.

온갖 병원을 돌아다니면서 편두통의 원인에 대해 진단받은 결과, 각기 의견은 달랐지만 주요한 본질은 비슷했다. 스트레스에 취약한 성격으로, 특유의 예민한 성향이 긴장성 두통으로 이어졌을 가능성이 크다는 것. 초등학교를 입학하기 전까지는 까탈스럽다는 게 무엇인지 몰랐었다. 학교 운동장에서 조회하다 쓰러져도 그저 몸이 약해서, 시험 전날 온몸에 두드러기가 나도 그 시기의 컨디션 난조라고 생각했다. 하지만 돌이켜보면 모두 몸과 마음이 예민한 탓이었다. 조금 더 나고 자라 사회로 나와서는 더 발전된 기술의 양약 몇 알과 불굴의 의지로 생계 활동을 하는 데 큰 문제는 없으나, 두드러기로 몸살을 앓았던 때나 두통 일기를 쓰고 있는 지금이나 까다로운 성격만큼은 아직 해결된 것 같지 않다.

대학수학능력시험을 준비하며 중요한 모의고사를 앞두고 있던 전날 밤, 긴장에 차가워진 손을 녹였던 두터운 손이 기억난다. "자신이 없으면 놓아도 돼, 즐기지 못할 거면 쉬어라." 아빠의 말씀이었다. 모 카드 회사의 CM송으로 사랑받았던 "아버지는 말하셨지, 인생을 즐겨라."의 카피와는 조금 요원한 말이었다. 당시 나에게는 수험 생활이 인생의 전부였으니, 인생을 즐길 수 있기는커녕 오직 괴로움의 연속뿐이었다. 그런 내게 즐기지 못하면 쉬어도 된다니, 출구 없는 미로 속에서 마침내 빛이 쏟아져 내리는 방향을 발견한 기분이었다. 이내 곧 냉했던 몸이 녹고, 혈색이 돌아왔다. 다음 날 시험 성적이 어땠는지는 잘 기억나지 않지만, 평소보다 편한 마음으로 시험에 임했던 것 같다. 어차피 즐기지 못하는 거, 쉬었다가 다시 시작해도 된다니. 원치 않는 뜀박질을 하며 스스로 "즐겨야 해, 무조건 즐겨야 해."라고 주문을 걸고 있던 내게, 얼마나 큰 위로가 되었는지 모른다.

얼마 전 회사 콘퍼런스로 뇌과학 전문가 장동선 박사의 강연을 들으면서 '예기불안'이라는 단어를 처음 알게 됐다. 미래에 일어날 수 있는 나쁜 일들을 두려워하고 걱정하는 증상을 의미하는 말이란다. 막연한 불안감이 커지면 실제로 통제할 수 없거나 예측할 수 없는 일에 과도하게 집착하게 되고, 일상의 스트레스는 물론 관계에까지 악영향을 미치게 된다고 했다. 장동선 박사는 뇌과학과 관련하여 예기불안을 막을 수 있는 현실적인 방법들을 제시했다. 그리고 강의 말미에 항해하고 있는 배 사진을 하나 띄웠다. 많은 사람이 배는 항상 바다에 있고 으레 바다에 있어야 한다고 생각하지만, 배 한 척은 바다를 나가기 위해 반드시 항구를 들른다는 것이다. 또한 바다가 여건이 되지 않거나 배에 문제가 생긴다면, 즉 당장 항해를 즐길 수 없는 상태라면 다음 항해를 준비하기 위해 항구 한쪽에서 잠시 쉬어 간다고 말했다. 최근 들었던 강연 중 가장 깊은 여운을 남긴 마무리였다. 인생을 항해라 비유했을 때 스스로를 한 척의 배라고 생각한다면 잠시간의 휴식은 전혀 이상할 것이 없다. 안전한 항해를 즐길 수 없을 때 항구에 들러 배의 상태를 점검하고 정비를 하는 것이 당연한 순리인 것처럼, 막연한 불안감에 다음 걸음을 뗄 수 없을 때 잠시 멈추는 것 또한 마땅한 이치다.

『불안할 땐 뇌과학』이라는 책에서는 '불안'을 감정 혹은 정신의 문제가 아닌 '신체 반응' 중 하나로 정의한다. 대뇌피질과 편도체라는 두 가지 뇌의 작용을 통해 불안이 만들어진다는 것이다. 우리는 대체로 신체에 이상 반응이 생겼을 때, 모든 일과 행동을 멈추고 안식을 취한다. 몸이 정상으로 돌아올 때까지 쉬는 시간을 주는 것이다. 그런데 이상하게도 과한 불안이나 심리적인 안정을 취하지 못할 때는 어떻게 해결해야 할지 난감해한다. 하고 있던 일들을 멈추기는 고사하고 생각의 늪에 빠져 스스로를 더 괴로운 상태로 몰아세운다.

　생각을 바꿔보면 간단한 문제다. '불안'은 마음이 아닌 몸의 비정상적인 반응이다. 감기에 걸렸을 때 따뜻한 차를 마시며 휴식하는 것처럼, 몸에 '불안'이라는 비상 신호가 떴을 때는 '일시 정지 버튼'을 누르고 잠시간 쉬어보자. '일시 정지 버튼'은 말 그대로 잠깐 멈추는 상태다. 영상 콘텐츠 하나를 즐기는 와중에도 '일시 정지 버튼'과 '재생 버튼'을 번갈아 누르지 않는가. 멈추고 나면 이윽고 다시 시작하면 된다. 잠시 멈추더라도 영상 콘텐츠가 다시 처음부터 재생되거나, 재생 자체에 문제가 생기는 일은 없다. 우리는 그저 다시 달리기 위해 잠시 숨을 고르는 것뿐이다.

건강한 질투

초등학교 저학년 시절, 늘 갖고 다니던 필통이 사라진 적이 있다. 책상 주변부터 바닥까지 온 교실을 훑고 다녀도 찾을 수 없어 결국 포기해 버렸다. 친구를 의심할 생각 따위는 못했었다. 며칠이 지나 결국 범인이 잡혔다. 뒷자리에 앉아 친하게 지내던 벗이 몰래 필통을 훔치고는 자신의 책상 사물함 아래 숨긴 것이었다. 나와 비슷하게 작은 체구에 동질감을 느껴 매일 짝꿍처럼 붙어 다니던 사이였기에 조금도 생각지 못한 일이었다. 화를 쏟아내기보다 순수하게 사건을 일으킨 연유가 궁금해졌다.

"도대체 왜 그런 일을 했어?"

"어쩐지 질투가 났어."

친구는 제법 잘 어우러지는 내 교우관계와 크게 못나지 않은 성적에 질투가 났다고 말했다. 그때 처음으로 시기의 감정을 배웠다. 타인이 가진 것을 부러워하며 불평하는 마음 상태가 짙어지자, 친구는 내가 가진 것을 탐하고 뺏으려 한 것이다. 물론 작은 용서와 시간의 미덕으로 나는 그 사건을 잊었고 우리는 한동안 다시 친구로 지냈다. 고작 그만한 일로 우정을 깨뜨릴 수는 없었다. 다만 마음 한편으로는 질투와 시기가 얼마나 무서운 것들인지 되뇌었고 그 감정에 절대 휩쓸리지 않겠다는 경계심이 샘솟았다.

시간이 흘러 중학교에 갔을 때다. 그때 나는 언니가 다녔던 중학교를 따라갔는데, 입학한 지 꽤 시간이 지났을 때임에도 불구하고 이상하게 마주치는 선생님마다 내 이름을 부르지 않았다.

"네가 지은이 동생이구나?"

"지은이 동생이라 공부 참 잘하겠다."

나는 그저 전교 1등 수석의 동생일 뿐이었고, 오래도록 언니를 가르쳤던 선생님들에게 내 이름 석 자는 크게 와닿지 않는 것이었다. 자라나는 청소년에게는 꽤 충격적인 일이었고, 언니에게 남모를 질투를 느끼기 시작했다. 하지만 사랑하는 언니에게 샘을 내고 있다는 사실을 온전히 인정할 수 없었다. 마냥 언니를 부러워하면서도 원망하는 감정이 어린 시절 내 필통을 도둑질했던 친구의 마음과도 같이 느껴져 괴로웠다. 떨어진 자존감에 언니를 미워하면서도, 이유 모를 죄책감에 마음껏 시기하지 못했다. 부정적인 마음의 조각들은 걸림돌이 되어 언니와 나의 사이를 가로막았고 우리는 미묘한 신경전 속에 데면데면한 관계가 되어갔다.

고민이 깊어져 가던 중 문득 사건 해결의 열쇠가 떠올랐다. 언니를 질투하고 있다는 사실을 있는 그대로 받아들이고 무작정 질투만 하고 있을 게 아니라 스스로 존재감을 발휘하기 위한 노력을 해야겠다고 다짐한 것이다. 이후부터 나는 공부에 매진했고, 이전까지 특출나지 않았던 내 성적은 반 3등 수준으로 훌쩍 뛰어올랐다. 선생님들은 새로운 우등생으로 나를 주목하기 시작했다. 나 또한 목표를 이루고 한계를 극복했다는 데서 큰 성취감을 느꼈고, 앞으로도 무슨 일이든 잘 해낼 수 있을 것이라는 용기가 생겼다. 그제야 언니를 향한 간사한 마음을 접을 수 있었고, 오히려 감사함을 느끼게 됐다. 언니를 통해 괴로운 감정과 마주할 수 있었고, 언니 덕분에 한 뼘 성장할 수 있었기 때문이다. 이 일은 오래도록 내 자신감의 원천이 되어 지금까지 삶을 이끄는 동력이 되고 있다. 시새움이 또 다른 성장의 밑거름이 된 것이다. 덕분에 질투와 시기를 삶의 지렛대 역할로 활용하는 법을 배웠다.

다사다난했던 세월을 거치며 또다시 누군가를 질투했고 때로는 시기 어린 시선을 한 몸에 받았다. 그때마다 중학교 1학년 때의 성장 드라마를 떠올렸다. 남을 시샘하는 마음은 그저 품고만 있다면 독이 되나, 그것들을 똘똘 뭉쳐 계단에 올라서는 버팀목으로 활용한다면 더없이 크게 올라설 수 있는 계기가 된다. 질투에서 행복을 찾는 가장 원초적인 방법은 내가 샘내고 있는 대상과 똑같아지는 것이다. 갖지 못한 것이라면 가지기 위해 애쓰고, 이루지 못한 것이라면 이루기 위해 노력해야 한다. 동등한 입장이 되기 위해 정진하다 보면 어느새 사소한 질투는 좋은 성장 동력이 되어있을 것이다. 순수하게 타인을 시기하지 말라거나 남의 것을 탐내지 말라는 뻔한 이야기는 하고 싶지 않다. 내가 소유하지 못한 것을 가진 누군가를 부러워하는 것은 인간의 본성이다. 다만 그 감정이 지나친 욕심으로 번져 필통을 도둑질하는 마음으로 변질되지 않길 바란다. 필통을 훔치지 않아도 우리는 얼마든지 다른 방법으로 필통을 얻을 수 있다. 적당한 탐심을 갖고 살아보자. 그리고 질투가 발현되는 순간 기뻐하자. 그때마다 우리는 새로운 성취와 행복을 향해 질주할 수 있다.

독화살

불경에는 '독시비화(毒矢譬話)'라는 말이 나온다. 숲을 지나가고 있던 한 사람이 독화살을 맞아 고통을 받고 있는 와중 주변에서는 독화살을 얼른 뽑아내고 의사를 불러야 한다고 충고한다. 하지만 그 사람은 아직 독화살을 뽑지 말라고 손사래를 치며, 누가 이 화살을 쏜 건지, 이 활이 도대체 무엇으로 만들어진 건지 알아야겠다며 고집을 피운다. 그 모습을 보던 부처님이 말하길 궁금한 것을 깨우치기 전에 온몸에 독이 퍼져 죽을 것이라 일침을 놓았다는 이야기다.

나 역시 대학 시절, 독화살을 맞고 동기들과 절연한 적이 있다. 동기 몇몇이 나에 대한 질 나쁜 소문을 퍼뜨리면서 오해는 눈덩이처럼 불어났고 몇 년간 쌓아왔던 우정이 무색하게 친구들 일부가 끝내 등을 돌렸다. 소문의 근원지는 짐작할 수 있었으나 이유는 도무지 알 수 없었다. 사건은 한동안 계속 커졌고, 이름도 얼굴도 모르는 사람들 입으로까지 오르내리게 되면서 돌이킬 수 없는 상처를 받았다. 그리고 아주 오랜 시간 왜 그런 일이 나에게만 벌어졌는지, 어떤 계기로 일이 커진 건지, 문제를 어떻게 하면 바로잡을 수 있을지 고민하는 데 시간을 쏟았다. 그러는 동안 생채기는 자꾸만 더 벌어졌고, 결국 사람이라는 존재를 오랜 시간 경계하게 됐다.

사실 나는 불경 속 인물처럼 숲을 지나가고 있는 한 사람에 불과했고, 우연히 독화살을 맞았을 뿐이었다. 시간이 흘러 자연스레 새살이 돋아나자 그제야 깨달을 수 있었다. 나에게 꽂혔던 독화살은 그때 바로 뽑아냈어야 한다는 걸. 독화살을 맞은 줄 알면서도 자꾸만 원인을 규명하려 하고 스스로 원망하기에 바빴던 내가 참으로 어리석게 느껴졌다. 미련의 구렁텅이에서 빠르게 빠져나왔다면, 옆에 남아준 친구들의 참된 우정에 더 많이 감사하고 더욱 매력적인 사람들과 친분을 쌓는 데 노력을 기울일 수 있었을 것이다. 애먼 일에 정신이 팔려 정작 나를 위하는 일들을 나 몰라라 했던 것이 심히 아쉬웠다.

세상을 살다 보면 도처에 깔린 독화살들을 마주하게 된다. 의도하거나 크게 잘못하지 않았더라도 내 뜻을 곡해하는 사람을 만나게 되거나 예상치 못한 상황에서 불합리한 대우를 받게 되는 경우도 있다. 급작스럽게 다가온 불행을 있는 그대로 수용하기란 여간 힘든 일이 아니다. 남의 불운이라 생각했을 땐 당연히 화살부터 뽑아내라고 핀잔을 주기 바쁠 텐데, 막상 나에게 닥친 불우한 일은 적극적으로 걷어내기가 쉽지 않다. 또 진실을 밝혀내지 않고 독화살을 뽑아내는 것이, 마치 운명에 순응하는 것만 같아 마냥 억울할 수도 있다.

그러나 수렁에 더 깊이 빠지지 않기 위해 우리는 만사를 제쳐두고 나를 구하는 데 집중해야 한다. 독화살이 어디에서 왔는지는 중요하지 않다. 독시비화의 진정한 교훈은 단순히 불운한 운명에 굴복하라는 수동적 태도가 아니다. 주어진 형편을 과감하게 받아들이되, 어떻게든 내 삶이 더 나아질 수 있도록 지금 바로 실천하자는 것이다. 주변이 부당하게 느껴질 때는 '독시비화'의 가르침을 되새기자. 독화살의 의미와 의의에만 꽂혀있는 사이 내 생명의 골든타임은 빠르게 흘러가고 있을지도 모른다.

사소한 일상 수집가

발행 2024년 05월 05일
지은이 김지수
디자인 조미진
펴낸이 정원우
펴낸곳 글ego
출판등록 2019.06.21 (제2019-000227호)
주소 서울시 강남구 강남대로 118길 24 3층
이메일 writing4ego@gmail.com
홈페이지 http://egowriting.com
인스타그램 @egowriting

ISBN 979-11-6666-490-8